FRANÇOISE SIMPÈRE

Françoise Simpère, journaliste, écrivain, est l'auteur, entres autres, de *Aimer plusieurs hommes* ; *L'algue fatale* ; *Des désirs et des hommes* ; *Bien dans l'eau, bien dans sa peau* ; *Les latitudes amoureuses* et *Ce qui trouble Lola*. Ses domaines de prédilection, présents dans tous ses écrits, sont la sexualité, l'écologie et les questions de société. Elle collabore actuellement aux magazines *Nouveau consommateur* et *Gloss*. Directrice de la collection Senso (éditions Blanche), elle est l'auteur de scénarios et participe également à l'écriture de documentaires pour la télévision. En 2006, elle a été le sujet d'un documentaire, *La grande amoureuse*, réalisé par la Québécoise Martine Asselin (diffusion en 2007).

Retrouvez Françoise Simpère sur
http://fsimpere.over-blog.com

D0531634

DES DÉSIRS ET DES HOMMES

DU MÊME AUTEUR
CHEZ POCKET

Dans la Collection « Évolution »

FRANÇOISE SIMPÈRE

DES DÉSIRS
ET DES HOMMES

ÉDITIONS BLANCHE

Le papier de cet ouvrage est composé de fibres naturelles, renouvelables, recyclables et fabriquées à partir de bois provenant de forêts plantées et cultivées durablement pour la fabrication du papier.

© Éditions Blanche, Paris, 2000.

ISBN 978-2-266-11533-9

*Aux hommes que j'ai aimés, que j'aime
et que j'aimerai...*

Et à celui que j'aime

Dans ces nouvelles, j'ai voulu réunir l'érotisme et les sentiments, qu'ils soient d'amour tendre ou de violence.

J'ai voulu aussi montrer comment les mêmes gestes, les mêmes mots, peuvent être tour à tour triviaux ou sublimes selon le jour, l'homme, l'humeur ou la couleur du temps.

Et combien le désir, si fugace, si joyeux, si magique, peut érotiser chaque instant de la vie.

DÉSIR EN ATTENTE

Mercredi matin, 6 heures.

Je t'écris cette lettre que tu ne liras pas, que je ne t'enverrai pas… Non, je reprends. Trop intime, cette phrase, j'en ai déjà la main tremblante, le stylo qui bruine sur le papier. Il me faut écrire avec plus de recul, sinon je meurs… Peut-être qu'en te vouvoyant je pourrai t'en dire davantage, en me sentant moins dangereusement exposée.

Monsieur,
Je vous écris cette lettre que vous ne lirez pas, que je ne vous enverrai pas. Nous nous sommes quittés il y a deux jours à peine et je me croyais gavée de vous. J'espérais avoir épuisé mes désirs et emmagasiné des provisions de sensations pour ces longues semaines durant lesquelles la vie nous éloigne l'un de l'autre. Il n'en était rien. Cette nuit, je me suis réveillée en criant, les doigts profondément enfoncés dans mon sexe, pour me rendre compte avec désespoir que vous

n'étiez pas l'auteur de cette jouissance. Mon cœur battait si fort, j'ai cru me trouver mal... Je me suis efforcée de calmer ma respiration, de lui donner un rythme plus lent et plus profond. Un jour, je mourrai de plaisir seule dans mon lit, et tout le monde croira à un banal arrêt cardiaque. À moins qu'on ne me découvre à l'aube, la main figée dans une ultime caresse qui ne laisserait aucun doute sur l'origine de mon dernier soupir... Je me suis plu à imaginer l'émoi du jeune policier de service qui, du haut de ses vingt ans, découvrirait qu'on peut, beaucoup plus tard, donner sa vie pour le plaisir.

Il aurait les yeux clairs, les traits encore arrondis par trop de jeunesse, mais prometteurs, oui, prometteurs... Le soir, dans la chambrée, tandis que ses camarades se raconteraient des histoires de braquages sordides ou de sauvetage routier, son regard s'embuerait au souvenir de mon intimité offerte aux regards et le trouble ressenti le ferait bander. Il poserait une main hésitante sur sa verge bien visible malgré le pantalon d'uniforme, et sursauterait en entendant un camarade lui lancer, gouailleur : « Ben dis donc, t'es dans un état ! J'sais pas qui tu as sauvé aujourd'hui, mais elle devait être jolie... » J'aime assez l'idée qu'après ma mort, un jeune homme trouve encore du plaisir grâce à moi. Grâce à vous. J'ai beau m'offrir d'agréables digressions, mon désir de vous ne s'en apaise point. Gomme-t-on le désir d'un homme par les caresses d'un autre ? Maintes fois je me suis posé la question dans mon existence et j'en connais, hélas, la réponse. C'est non. Je peux vous raconter mille plaisirs loin de vous, des jeux de séduction, des regards, des caresses même, chapardées à d'autres hommes comme une galopine que je suis, mais de désir, point. Tant mieux. Il me plaît de penser que j'ai envie de vous réserver mes secrets, d'aller en votre compagnie au bout de ce chemin obscur que je défriche depuis des années sans arriver à en trouver la fin. Peut-être mes désirs sont-ils sans fin. Plus je vous en offre, plus vous en faites naître.

J'écris depuis une heure. Une heure pour si peu de lignes… Mais je dois vous avouer qu'entre chaque ligne, mon regard s'évade et rêve de vous. Pendant que vous dormiez, l'autre nuit, je me suis éveillée. Un résidu de lumière flottait dans la chambre et dessinait les contours des meubles. Mes yeux se sont peu à peu accoutumés à la pénombre et je vous ai regardé en me demandant pourquoi je vous désirais à ce point. Il n'y a bien sûr aucune réponse à une aussi stupide question. La seule intelligible ce fut, lorsque je me suis penchée pour respirer votre peau, ce coup de poignard au creux de mon ventre et cette sensation brûlante que mon sexe entrait en fièvre, tant ses pulsations étaient chaudes et rapides, et mon souffle plus court… J'arrête ici cette lettre, sous peine de ne pouvoir travailler de toute la journée.

Vendredi, 21 heures.

J'ai trouvé sur mon répondeur un message de vous. Je l'ai conservé et le déguste par petits bouts, par petits mots. Votre voix me trouble, le savez-vous ? Elle glisse comme une caresse sur certaines syllabes. Je m'offre plusieurs fois par jour vos caresses sonores. Elles ravivent mon désir, elles le préparent à notre prochaine rencontre. Il serait plus sage de vous oublier durant vos absences, mais je n'ai jamais été sage. J'aime me conduire en vestale – moins sage et moins vierge qu'une vraie cependant ! – chargée par les dieux du plaisir d'entretenir les braises rougeoyantes qui font que jamais ma peau ne s'apaise, jamais mon corps ne se refroidit, afin que vous le découvriez à votre retour plus ardent que jamais. Je veux vous donner l'infinie fierté de me faire jouir sans limites.

Dimanche matin, 3 heures.

Je rentre à l'instant d'une soirée chez une amie qui fêtait son anniversaire. Il y avait là une quinzaine de personnes autour d'un buffet de fruits de mer. On les dit aphrodisiaques, je crois plutôt qu'ils sont inéluctablement liés dans nos esprits à la fête, donc au plaisir. Vers minuit, le vin blanc et la fatigue nous rendant un peu euphoriques, nous avons dansé. Par jeu, quelqu'un a mis un disque de tango argentin et nous nous y sommes essayés, plutôt maladroitement. Un homme que j'avais déjà rencontré une ou deux fois m'a invitée : « Tu as de la chance, m'a glissé mon amie, c'est un vrai pro. » Il dansait bien, c'est vrai. Après quelques instants, j'ai senti sa jambe s'insérer de plus en plus loin entre les miennes sur l'un des temps de la danse. Une fois, deux fois… à la troisième, le mouvement a collé son pubis au mien et j'ai senti qu'il bandait. Cela m'a amusée, j'ai accentué la pression. À cet instant, j'ai pensé à vous, à l'envie que j'aurais de danser ainsi très proche de votre corps pour l'exciter peu à peu, au frottement précis des tissus qui vous mènerait jusqu'à la jouissance, pourquoi pas ? J'ai imaginé votre gêne, et elle m'a troublée. En vous le racontant, je vous désire avec violence… Mais reprenons mon histoire. À la fin du tango, mon amie m'a demandé si je pouvais descendre chercher deux bouteilles de vin blanc à la cave. J'ai allumé la lumière de l'escalier, une de ces ampoules blafardes capables de rendre sinistre n'importe quel lieu bétonné, et celui-ci l'était. J'ai traversé un bout de sous-sol encombré de vélos et de cartons en tous genres, avant de trouver sur ma droite une petite porte en bois ouvrant sur la cave proprement dite. J'ai cherché un interrupteur, ne l'ai pas trouvé. La lumière du sous-sol était cependant suffisante pour me permettre de trouver les bouteilles, en bas d'un casier bien dégarni. Au moment où je me redressais, je me suis heurtée à quelqu'un. J'ai eu si peur que j'ai failli crier, puis j'ai reconnu mon cavalier : « Je viens chercher le dernier plateau d'huîtres » a-t-il soufflé. J'allais passer devant lui, remonter dans l'appartement, quand il m'a saisie aux épaules, plaquée contre le mur de la cave et embrassée avec, j'ose vous le dire, la fougue et le talent d'un danseur argentin. Je me suis laissé faire et lui ai même rendu son baiser. De toute façon, peut-on se défendre lorsqu'on a les deux mains encombrées de bouteilles. Lui a dû se dire la même chose, car il s'est soudain accroupi, et avant que j'aie pu réaliser ce qui se passait, a relevé ma jupe jusqu'à la ceinture. Pour que vous compreniez bien la scène, mon cher amour, il faut vous préciser que je portais ce soir une jupe très courte et moulante, de ce genre de vêtements qui ne retombe pas lorsqu'on le roule à la taille. « Tu exagères » ai-je murmuré pour la forme à mon cavalier, qui a répliqué, très sûr de lui : « Mais non, tu vas adorer. » Il faisait sombre dans la cave, l'odeur de ciment humide et de bois m'a fait frissonner. J'ai fermé les yeux. Mon danseur savait exactement ce qu'il voulait. Sa langue s'est promenée rapidement autour de la culotte, le long de la dentelle, comme pour délimiter un territoire, puis il a écarté le tissu et commencé à me lécher… J'allais dire tout doucement, le souci de la précision me pousse à rectifier : ce n'était pas tout doucement, mais tout légèrement, et très vite. Je suis sûre que vous imaginez très bien ce que je veux dire et vous me connaissez assez pour deviner que je n'ai pas longtemps résisté à ce traitement. J'ai senti monter en moi une onde aiguë de plaisir, mes jambes se sont mises à trembler, j'ai eu le réflexe de les resserrer, il les a fermement écartées d'un bras, puis a enfoncé d'un coup plusieurs doigts au fond de moi tout en aspirant si bien mon clitoris que j'ai joui violemment en me mordant les lèvres pour ne pas crier. C'est le cadeau que je vous offre, mon amour. Je veux bien jouir avec d'autres, je ne veux m'abandonner qu'avec vous. Mon cavalier s'est redressé, a rabaissé ma jupe, s'est rapidement essuyé les lèvres et m'a dit en souriant : « Tu ne regrettes pas ? » Je n'ai pas répondu.

Nous sommes remontés tous les deux chargés de victuailles et avons été accueillis en haut par les quolibets des amis qui auraient de toute façon eu lieu qu'il se passât ou non quelque chose. J'ai souri sans rien dire. Je me sentais coquine, et jubilais de sentir encore sous ma jupe les pulsations brûlantes de mon sexe, comme un cœur animé d'une intense émotion.

Mon cavalier avait raison : je ne regrette pas. Je ne regrette que vos absences. Je ne vous suis pas infidèle à cause d'elles, je vous suis infidèle pour entretenir en moi un feu permanent qui me permettra de m'offrir à vous très vite, sans chercher dans ma mémoire des fantômes de sensations le jour où je vous reverrai. Je ne veux pas que vos absences éteignent mon corps, de peur qu'un jour vous n'arriviez plus à le rallumer.

Mardi, fin d'après-midi.

Ce soir, nous nous voyons. Vous me l'avez dit ce matin, et depuis lors chaque cellule de mon corps s'habille de désir. Je pense à vous et suis aussitôt traversée d'un sourire intérieur. Je conduis avec jubilation, je souris aux autres conducteurs, je sauterais volontiers au cou du flic de service qui règle la circulation. Je sais que, vous aussi, songez à ce que nous ferons ensemble et j'aime imaginer les pensées qui vous traversent en plein milieu d'une conversation sérieuse. Pour moi, tout commencera bien avant que vous ne refermiez la porte de la chambre. Avant votre sexe, avant vos mains sur moi et votre bouche partout, avant mon abandon, il y a tant d'émois que vous ne savez pas. Dans l'ascenseur, l'odeur d'hiver de votre manteau quand je me serre contre vous et que vos bras m'enlacent, cette odeur du dehors qui porte vos pas de la journée, votre lassitude, les fumées des autres, le bruit, cette odeur comme un rempart, que j'aspire à longues goulées, jusqu'à ce que je perçoive, toute tiède, l'odeur de votre peau sur votre cou, contre votre joue parfois. Et puis votre peau, justement, que je heurte de mon front pour la sentir doucement s'imprimer en moi, me donner de la chaleur. Je prie le Ciel qu'on vous ait attribué une chambre au plus haut de l'immeuble, qu'il me reste au moins quelques secondes pour saisir vos lèvres…

Et dans la chambre, vos lèvres, enfin… Ce baiser dont je rêve durant vos absences, je vous le donnerai, le prendrai sans attendre, à peine la porte refermée. Il y aura urgence, le savez-vous ? Le désir trop longtemps contenu devient mortel…

Et nous y voici enfin, après tant et tant d'heures passées à vous espérer. *Te espero*, je t'attends, je t'espère. Les Espagnols utilisent avec raison le même verbe pour exprimer le fil tendu de l'attente. Je retrouve vie dans votre bouche. Bouche-à-bouche, on n'a jamais mieux prouvé l'effet salvateur de cette manœuvre. J'ai envie de vous, je glisse mes mains entre votre ceinture et votre peau, vous aimez ma hâte gourmande. J'imagine que vous en êtes fier… D'ici dix secondes, vous arracherez d'un geste large le couvre-lit et me jetterez sur les draps. Vous m'enlèverez mes chaussures, mon collant, bref, vous mettrez à nu l'essentiel. Mais laissez-moi ma robe et mes bijoux et gardez, vous aussi, vos vêtements. J'ai envie que vous me preniez à la va-vite, à la hussarde, comme un sauvage, bref, tout ce qu'on déteste d'ordinaire et qui est si délicieux parfois, lorsqu'on a mûri longtemps son désir. Je sais, avant même que vous ne l'ayez touché, que mon sexe est prêt à vous recevoir. Pendant ces jours interminables où je vous écrivais, je l'ai entretenu dans l'attente du vôtre, lui ai appris à ne jamais se fermer, à rester toujours humide, à s'émouvoir instantanément lorsque je lui parlais de vous. Alors venez, entrez sans préalable et frappez fort bien au fond. Vous croyez vous conduire en conquérant mais c'est moi qui vous veux. J'aime violenter votre savoir-vivre et savoir-baiser, qui vous soufflent de me caresser au moins un peu… « Non, ne tarde pas, viens tout de suite… » N'ayez crainte, mon amour : je vous veux ainsi, très vite, mais vous ne serez pas quitte pour autant. Ensuite, je vous emmènerai dîner, de belles et bonnes choses, et juste assez de vin pour vous détendre. Je vous demanderai d'être séducteur, viril et tendre, je vous voudrai tour à tour dominateur, abandonné puis à nouveau conquérant.

Prenez-moi, investissez mon corps sans attendre. Je ne vous offre cette première étreinte que pour vous donner envie des suivantes. Je vous épuiserai s'il le faut, jusqu'à ce que vous me fassiez crier grâce.

PREMIER ÉMOIS

Elle est entrée dans le milk-bar, un endroit enfumé agité par le brouhaha des conversations de fin de cours. Elle s'est assise sur une banquette de skaï vert, a croisé le regard du garçon dans le grand miroir accroché au mur du fond. Elle s'est cachée derrière son verre de Coca, a pris un air très concentré pour aspirer le breuvage avec la paille. Il a eu un petit sourire, narquois. Elle a léché ses lèvres avec le bout de sa langue, comme un chat croyait-elle. Il l'a trouvée vraiment sensuelle.

Il s'est tourné vers un copain, et elle a pu l'observer de profil. À la base de son cou tressautait une petite veine. Elle aurait aimé y porter la main, savoir si sa peau mate était aussi douce qu'elle en avait l'air, et suivre l'air de rien le contour de son visage en remontant jusqu'à son oreille, puis en descendant le long de la mâchoire, jusqu'au menton, creusé juste au milieu d'une fossette verticale. Le garçon s'est levé, elle a admiré sa démarche nonchalante. Il a fouillé dans la poche de son jean, en a tiré une pièce de monnaie. Elle, le nez plongé dans son verre, guettait ses gestes et trouvait qu'il avait de jolies mains.

Il a glissé la pièce dans la fente du juke-box. L'appareil a cherché quelques secondes puis la voix de Mick Jagger a empli le bar : « *I can't get no... Satisfaction !* »

Elle a senti son cœur s'accélérer et une drôle de petite douleur pincer son ventre, furtive. Comme un minuscule rongeur qui lui aurait dévoré... elle n'osa même pas penser le mot.

Le soir, dans son lit aux draps encore enfantins, elle a ouvert son carnet secret, sucé le bout de son stylo. Puis elle s'est mise à écrire très vite des mots qui lui faisaient un peu peur, des mots sortis tout seuls de sa plume, des mots soufflés par le rongeur :

Monsieur, laissez-moi vous toucher
Laissez-moi sentir votre peau
Sous mes doigts tièdes et légers
Je sais que votre corps est chaud.
Monsieur, laissez-moi vous rêver
Lorsque mon cœur est en vacances
Au rythme de mes somnolences
Seule la nuit me voit vibrer.
Monsieur, laissez-moi vous mener
Dans des contrées vertes, inconnues
Au fond des délirantes nues
Où je saurais vous envoûter.
Monsieur, n'allez rien espérer
Je me plais à vous désirer... Simplement...

Elle a relu son poème en rougissant. Elle s'est demandée ce qu'en penserait le garçon, s'il serait choqué ou séduit. Puis elle a imaginé la réaction de ses parents s'ils découvraient ses écrits.

Alors elle a arraché la page du carnet, l'a découpée en tout petits morceaux, a hésité quelques secondes, puis les a mis dans sa bouche et les a avalés.

Le petit rongeur de son ventre a cessé de la mordre, et elle s'est endormie.

Des mois plus tard, elle avait grandi. Par la grâce d'un certain mois de mai et d'un soleil si ardent qu'on le croyait capable de brûler tous les tabous. Elle, c'est sûr, en avait fait un joyeux autodafé. Dans sa chambre d'étudiante où régnait un invraisemblable capharnaüm, elle corrigeait un tract qu'il faudrait ensuite soumettre au comité d'action avant de le distribuer. Il faisait très chaud, la fenêtre grande ouverte laissait passer un air tiède, des odeurs de début d'été. Sous son débardeur et sa minijupe elle sentait sa peau moite. Elle passa une main entre ses cuisses et sourit : depuis trois jours, elle était une vraie femme. Elle ne pouvait pas dire que beaucoup de choses avaient changé depuis, mais elle avait l'impression d'avoir franchi une étape indispensable.

Un bruit de moteur lui parvint, trois étages plus bas. Elle se pencha à la fenêtre et les vit réunis. Son premier flirt, son premier amour, son premier amant. le brun, le châtain et le blond. Ils bavardaient en riant tous les trois, ignorant le lien qui les unissait. Le blond alluma une cigarette, en offrit une au brun. Le châtain, appuyé contre sa mobylette, fouilla dans sa poche pour en sortir une pipe. Des volutes de fumée embaumant le miel montèrent bientôt jusqu'au balcon. Elle retourna à son bureau pour finir de taper le stencil sur une petite machine à écrire portative dont les touches étaient si dures qu'elle en avait mal aux doigts.

Des mains se posèrent tout à coup sur ses épaules. Elle poussa un cri, se retourna. C'était le châtain, un sourire, son sourire si moqueur aux lèvres. Comme la première fois dans le milk-bar. Il était entré silencieusement dans la pièce, sans faire grincer le moins du monde la porte. Elle lui avait toujours trouvé une allure féline :

« T'es fou, tu m'as fais peur !

— Salut ! Je viens chercher le tract pour la ronéo. Il est prêt ?

— Oui, je venais juste de frapper la dernière phrase. »

Il se pencha sur la machine, et ce faisant, ses cheveux bouclés effleurèrent un bras de la jeune fille. Il y eut quelques instants de silence tendu pendant qu'il lisait. Puis il releva la tête :

« C'est bien. Très bien. Tu écris rudement bien.

— Merci. »

Il sortit la feuille de la machine puis se redressa en souriant, la regardant droit dans les yeux. Elle baissa la tête. Avec l'extrémité de la feuille de papier, il lui effleura tout doucement le ventre, la bande duveteuse qui apparaissait entre le haut de la jupe et le débardeur ultracourt. Elle frissonna. Il continua de la caresser lentement, en faisant glisser sur sa peau la tranche de la feuille aiguë comme une lame. Elle sentit au fond de son ventre quelque chose d'étrange remuer. Le petit rat s'éveillait et tentait de s'évader d'elle. Ses dents pointues lui grignotaient le sexe. Avec ses petites pattes, il en écartait les lèvres. Elle ferma les yeux, soupira profondément. Sa respiration fit monter le débardeur un peu plus haut, à la limite des seins. Le garçon en dessina le contour avec l'angle de la feuille de papier, puis il murmura :

« Tu aimes ça. Tu aimes vraiment… »

Ce n'était pas une question. Juste une affirmation tranquille et comme un regret dans la voix. Il précisa sa pensée :

« Dis-moi… Tu n'es plus toute neuve ? »

Elle le regarda fièrement :

« Non. » Et dans ce « non » elle mit tout le défi dont elle était capable, la revanche sur sa timidité, sur ce désir fou qu'elle avait éprouvé pour lui des mois plus tôt sans oser aller plus loin, enfermant le petit rat qui la rongeait sous les oripeaux ridicules de déclarations enflammées dont le garçon avait bien ri. Elle était fière de lui montrer qu'à présent elle avait osé.

Il baissa le bras. La feuille de papier redevint un tract.

« C'est dommage, dit-il. J'aurais aimé être le premier. »

Et il sortit.

LE PREMIER AMANT

À l'angle de la fenêtre ouverte, la lune en croissant écornait le ciel. L'homme sentait le vétiver, trace légère comme un effluve du matin qui aurait tiédi toute la journée sur son cou. La nuit d'été était bleu sombre. Il avait entrouvert sa chemise à cause de la chaleur. La musique – un vieux blues – accordait ses notes aux pas très lents des danseurs. Elle tourna la tête, sa bouche effleura le torse de l'homme, elle y appuya ses lèvres, puis ses dents. Elle le sentit respirer plus fort, entendit sa voix amusée : « Mais tu es un petit monstre ! »

Elle ne répondit rien, ses dents continuèrent à s'aventurer dans l'encolure. Du bout de la langue, elle goûta la peau, voluptueusement. Elle voulait cet homme, qu'elle ne connaissait pas une minute plus tôt. On ne résiste pas à une telle évidence. La musique s'arrêta à cet instant. Les couples se défirent, les lampes à nouveau allumées faisaient cligner leurs yeux, comme s'ils s'éveillaient d'un rêve érotique. L'homme se détacha d'elle, rejoignit un groupe d'amis. Elle ne le suivit pas. Il avait trente ans ou un peu plus, elle dix ans de moins. De loin, elle le regarda lever son verre avec une femme plus âgée qu'elle, qui semblait bien le connaître. Elle sentait d'instinct l'intimité entre les êtres. Elle détailla sa façon de bouger, féline, son rire excessif dont les éclats lui parvenaient à travers le brouhaha de la salle. Il respirait la vie, et elle avait envie de s'y frotter.

« Demain, viens déjeuner chez Laurette. » Elle sursauta. L'homme avait jeté la phrase rapidement en passant près d'elle, puis s'était éloigné. Elle passa le reste de la soirée à l'éviter et à feindre de n'avoir d'yeux que pour l'ailleurs, quand toutes ses forces, tout son instinct étaient tournés vers lui, avec un désir de femme qu'elle n'avait guère éprouvé jusqu'alors. À vingt ans, le désir est en esquisse…

Chez Laurette, il commanda du vin blanc frais, avec des huîtres. Elle se laissait faire, gobant chaque coquille qu'il lui tendait. Sa langue effleurait parfois les doigts de l'homme. Tout à coup, il s'avança au-dessus de la table, et sa bouche sur ses lèvres remplaça la main tendue. Elle goûta le baiser sucré-salé qui se mariait si bien avec la saveur de l'eau de mer et du vin blanc. Elle aima sa façon d'embrasser, de flâner sur ses lèvres, ses dents, puis de fouiller tranquillement sa bouche sans cette hâte goulue, visqueuse, qui l'avait éloignée de tant d'amants potentiels. La patronne leur adressa un signe complice.

Après le déjeuner, il l'entraîna au-dehors. Il faisait beau. Ils grimpèrent d'étroites rues mal pavées qui l'obligèrent à lui prendre la main pour ne pas se tordre une cheville entre deux pierres. À d'autres hommes elle aurait posé des questions, demandé où ils allaient. À celui-ci, c'était inutile. Là où il allait, elle aussi. C'était le chemin d'un désir doux et brut.

Il s'arrêta au pied d'un immeuble de cinq ou six étages qu'ils grimpèrent à pied, sans souffler. Arrivé au sommet, il sortit une clé plate d'une poche. La porte ouvrait sur un studio minuscule : « C'est celui d'une amie. Elle me le prête parfois. » Elle lui sut gré de sa franchise. Il referma la porte sur eux, et tandis qu'il posait sur la moquette la besace de livres qui ne le quittait guère, elle alla à la fenêtre et se perdit dans la contemplation des toits. Vues d'en haut, les vagues argentées d'ardoise ou de tôle ondulée faisaient de Paris une ville à marée basse. Quelques minutes passèrent, tendues. Elle lui tournait le dos, s'obstinant à ne pas le regarder, à ne pas dire un mot. Il vint se plaquer à elle, l'entoura de ses bras, et elle sentit contre ses fesses sa nudité érigée. Elle frissonna, se retourna pour le caresser. Il saisit sa main, la lécha, mouilla ses doigts, puis la posa sur la verge si douce qu'elle semblait revêtue de cuir fin :

« Branle-moi. »

Il la faisait entrer d'un seul coup dans un univers nouveau où la délicatesse des gestes et la crudité des mots, loin de se heurter, éveillaient en elle de torrides désirs.

Très vite, elle eut envie d'enfoncer le sexe bien dur profondément en elle, mais il détourna sa main : « Pas tout de suite, tu es trop pressée. » Elle en fut étonnée. Avec les autres garçons, aller vite n'était pas un défaut, au contraire. La plupart ne rêvaient que de pénétration rapide, de jouissance immédiate. Mais lui n'était pas un garçon, c'était un homme. Elle sourit à cette pensée. Elle avait eu envie de lui parce qu'il était un homme. Elle sentait son poids sur elle, sa bouche qui mordait avec minutie les jointures de ses épaules, griffait de ses incisives la courbure de sa nuque. Il la retourna sans ménagement, parcourut sa colonne vertébrale d'un souffle léger et chaud qui la fit paradoxalement trembler. Sa langue s'aventura entre les fesses comme une visiteuse indiscrète. Gênée, la jeune femme se retourna, voulut à son tour le caresser, mais il lui enserra les poignets dans une seule main et les maintint au-dessus de sa tête.

« Tu ne veux pas que je te caresse ?

— Non, dit-il. Je veux que tu t'abandonnes. »

Il voulait effacer ses réticences, ses pudeurs de jeune fille, ses habitudes d'amour bâclé pour faire plaisir au partenaire qui bande depuis déjà longtemps et a envie de jouir. Langue sur la paume, qui tourne et rend la peau glissante… L'homme guida la main de la jeune femme et lui demanda une longue caresse. Leurs corps devenaient émulsion intime. Il avait le geste qu'elle désirait juste quand elle le désirait, elle lui offrait spontanément ce qu'il allait lui demander. Ses lèvres murmuraient « C'est bon… », son corps se détendait et s'ouvrait, elle ferma les yeux pour mieux en jouir.

Il laissa mûrir leur désir jusqu'à l'insupportable.

Il lui apprit l'attente, quand gronde au fond du ventre l'envie du cataclysme, cet instant magique – suspendu entre deux caresses – juste avant qu'il ne la pénètre, comme le silence dans l'œil du cyclone laisse présager la violence à venir. Elle le sentit entrer en elle avec une lenteur calculée, ressortir un peu, s'attarder juste à l'entrée, puis s'enfoncer brutalement d'un coup, et s'immobiliser tout au fond avant de reprendre le rythme infernal, imprévisible, dont il semblait maîtriser chaque mesure et démesure. Elle se tordait sur le lit, l'agrippait comme une noyée, le suppliait d'arrêter, le suppliait de continuer, puis elle se jeta tout à coup contre lui, tétanisée, tandis qu'il accélérait le rythme de son sexe avant d'exploser à son tour dans un spasme mêlé de sanglots qui semblaient ne plus pouvoir finir.

Ils se quittèrent peu de temps après et elle crut mourir de solitude.

Elle évita soigneusement tous les lieux de leurs promenades, refusa de regarder les toits gris de Paris et dévora méthodiquement des dizaines de jeunes gens – de moins jeunes aussi – comme un fast-food amoureux qui ne combla pas sa faim. Elle y apprit cependant à survivre au chagrin.

Des années plus tard, dans un bar enfumé, elle entendit les notes familières d'un piano. L'amant était là, qui chantait pour un public de groupies qu'elle détesta sur-le-champ. Il leva les yeux, l'aperçut. L'onde verte de son regard traversa la salle et l'éclaboussa de bonheur.

Dans la rue, elle retrouva sans hésiter les chemins de son corps, voulut s'y aventurer. Il retint sa main : « Pas ici, il y a du monde ! », puis la laissa faire. Dans l'encoignure d'une porte d'immeuble, en pleine ville, elle le caressa longuement, l'amenant au bord de la jouissance tandis que tout près d'eux des passants circulaient, anonymes et pressés.

Dans la voiture, elle ne lui laissa pas le temps de démarrer. Elle ouvrit son pantalon, subjuguée d'en voir jaillir le sexe bien dur, comme monté sur un ressort. Tout de suite elle le prit en bouche et retrouva sa saveur de cuir, de daim plutôt, qui lui rappela leur première rencontre. Il lui avait dit « Suce-moi », puis « Prends mes couilles dans ta main, presse-les, comme ça, oui, un peu plus fort », et encore : « Mets-moi un doigt. » Ces mots qui l'auraient révulsée venant d'un homme moins désiré l'avaient érotisée pour la vie. Elle se les racontait, seule dans son lit, ils accompagnaient ses masturbations nocturnes, elle les roulait dans sa bouche comme de perverses friandises. C'était comme le porto. Elle n'avait jamais apprécié ce vin trop sucré, jusqu'au jour où elle en avait bu plus que de raison à Albufeira, en 1974, bras dessus bras dessous avec des soldats braillant dans la nuit d'été portugaise « *O povo, unido...* », les seuls militaires de l'histoire du monde à avoir eu l'idée d'une révolution joyeuse, les meilleurs ambassadeurs du porto, qu'elle aimait désormais.

Elle but son amant avec la même gourmandise. Il renversa la tête contre le dossier lorsqu'il jouit, et elle retrouva avec une émotion intacte sa violence de félin griffant son dos de marques qu'elle regarderait les jours suivants dans son miroir, avec un sourire...

Il embrassa son odeur sur ses lèvres, saisit son visage à deux mains, la regarda dans les yeux :

« Tu as connu beaucoup d'hommes. Cela te va bien.

— Comment le sais-tu ?

— Tu es devenue gourmande, un peu "voyou". Tout à l'heure, en pleine rue, quand tu m'as branlé… Ta main était impérieuse, impériale. Je me suis senti gêné et troublé en même temps. Tellement troublé par ton désir. »

Elle se serra contre lui, murmura sur ses lèvres :

« Te souviens-tu, le premier jour, lorsque je m'obstinais à regarder les toits de Paris comme une touriste convenable, du haut de cette chambre perchée où j'avais accepté de te suivre ?

— Je me souviens.

— Et toi, déjà nu contre mon dos, impudique et sensuel… Ce sont ces moments que je veux avec toi, ce que j'appelle mon âme slave, lorsque la raison n'a plus de raison d'être et que le corps décide. Aujourd'hui, je jubile à l'idée que tu as rougi lorsque j'ai violé ta pudeur en public. »

MISE EN SCÈNE

L'homme avait fixé le rendez-vous à 19 heures, à la terrasse d'une brasserie banale. Au téléphone, il avait indiqué à la femme qu'elle devrait porter une jupe fendue et pas de soutien-gorge. Par bravade, elle était venue en pantalon. Il l'avait regardée, n'avait rien dit, même pas souri. Elle fut soulagée et déçue de son impassibilité. Ils burent rapidement un verre, puis il l'entraîna au-dehors.

Elle marchait près de lui, il semblait regarder les vitrines, et peu à peu elle oubliait pourquoi ils s'étaient retrouvés en cette belle soirée d'été. Elle se détendit, pensa à la journée du lendemain, un dimanche. Peut-être irait-elle voir sa vieille tante à la campagne. Il y avait longtemps qu'elle ne lui avait pas rendu visite et s'en voulait de cette négligence.

Elle ne poussa pas un cri quand une main brusque se plaqua sur sa bouche. L'homme était arrivé sans bruit derrière elle. Un bras la tira vers une porte cochère. On lui mit un bandeau sur les yeux. Noir absolu. L'obscurité inconnue la plongea dans le froid.

Malgré la douceur estivale, elle se mit à trembler. Une main impérieuse déboutonnait rapidement son pantalon, le baissait sur ses chevilles. Des doigts se glissaient sur ses hanches, sous le slip, baissé à son tour. Ainsi entravée, elle se sentait plus nue encore. Une voix murmura à son oreille : « Voilà ce qui arrive quand on n'obéit pas. » Ce n'était pas la voix de son compagnon. Elle fut saisie aux épaules par des bras vigoureux, poussée à avancer. Elle percevait des frôlements autour d'elle, l'air brassé par des corps en mouvement. Mais combien étaient-ils ? Elle marchait à tout petits pas, gênée par son pantalon baissé et par l'obscurité. Un rayon chaud toucha sa peau, un peu de lumière éclaira le bandeau. Elle se demanda si on l'avait ramenée dans la rue, mais il n'y avait pas assez de bruit, à peine un ronronnement assourdi de voitures. Elle était sûre pourtant d'être revenue au-dehors, exposée nue aux regards de tous. Alors elle décida de ne plus se poser de questions.

Elle continua à avancer, soutenue par les bras qui guidaient son corps à gauche, tout droit, puis deux fois à droite. On lui fit descendre quelques marches… « Attention, il y en a encore une ! » murmura une voix à son oreille lorsqu'elle manqua de trébucher.

Une porte grinça tout près d'elle avec un gémissement métallique. Elle reçut en plein visage un courant d'air frais. Les mains qui la guidaient jusqu'ici avec douceur la jetèrent sans ménagement sur un sol mou, sans doute un matelas, recouvert de draps un peu rêches qui râpaient son menton. Des mains affairées s'emparèrent d'elle. On finit de lui enlever son pantalon et son slip, on lui écarta les jambes si largement qu'elle sentit un tiraillement à l'aine. Ses pieds touchaient des barreaux durs, peut-être les montants d'un lit… Puis un froid de métal sur ses chevilles, un déclic, le tiraillement d'une chaîne sur la peau fine. « Ils m'ont attachée, je ne peux plus bouger ! » Elle se disait cela sans peur, presque avec jubilation. Elle se visualisa ainsi menottée, écartelée, offerte à d'invisibles inconnus, et son sexe gonflé d'humidité s'entrouvrit à cette image.

Elle regretta un instant qu'ils lui eussent laissé les mains libres et sourit intérieurement lorsqu'elle sentit qu'on les lui empoignait, qu'on les levait au-dessus de sa tête et qu'on les lui attachait avec un tissu si fin, si doux, qu'il était la première caresse de cette drôle de soirée. La seconde, ce fut l'impact précis d'une langue sur son clitoris. Elle se retint de crier. Elle n'avait pas imaginé qu'ils iraient si vite là où elle était la plus sensible. L'homme – ou la femme ? – qui la titillait le faisait avec une habileté qui la mettait au supplice. Elle s'était juré de rester impassible le plus longtemps possible et avait déjà du mal. Elle accueillit comme une bienveillante diversion le sexe qui entra dans sa bouche sans ménagement. Son compagnon l'avait rassurée : « Tous mes amis sont sains et experts aux jeux de l'amour. Ils ne veulent que ton plaisir. » Elle se demanda où il était, s'il regardait. « J'ai envie de te voir livrée à eux, soumise et honteuse » lui avait-il dit. Elle s'était prêtée au jeu par jeu, et s'apercevait qu'elle ne se sentait ni soumise, ni honteuse. Amusée plutôt, comme une gamine lutinée par un prêtre et qui, loin de s'en offusquer, s'amuserait à faire jouir le saint homme.

Elle s'étonna de son détachement, de ces pensées qui traversaient son esprit tandis que les hommes la manipulaient comme un jouet. Ils avaient défait les menottes, relevé ses jambes très haut, puis les avaient fixées à nouveau, sans doute à des anneaux fichés dans le mur. Elle se sentait ouverte mais pas vulnérable, offerte comme un somptueux cadeau qu'elle avait envie de leur faire. Un homme la pénétra, l'autre força ses reins, un troisième prit la place du premier occupant entre ses lèvres qu'elle arrondit tout aussitôt, gourmande. Trois ensemble, le grand classique de la pornographie ! L'idée la réjouit comme si, patineuse débutante, elle venait de réussir un triple axel. Somme toute, ce n'était pas difficile. Ils commencèrent à s'activer en elle et elle s'en voulut de garder autant de distance, de ne ressentir à cette scène pourtant exceptionnelle qu'une excitation ordinaire qui aurait même été sans intérêt s'il n'y avait eu le plaisir cérébral, le plaisir d'oser le faire.

Les hommes, eux, jouirent. Elle les entendit et en fut satisfaite. Elle se laissa faire docilement tandis qu'on lui détachait les mains et les chevilles, qu'on l'étendait à nouveau sur le dos, confortablement. Une tête se nicha entre ses cuisses. À la douceur des cheveux, elle se dit qu'il s'agissait d'une femme ou d'un très jeune garçon. Il (elle ?) avait des lèvres très mobiles qui ne cessaient de courir sur son sexe qu'elle sentait encore brûlant des assauts précédents. Elle reconnut dans son ventre les contractions familières du plaisir, les ondes de flux et de reflux. Ses jambes tressautèrent. Elle voulut se retenir et se mordit les lèvres, quand une voix grave murmura à son oreille : « Viens sur moi. La soumission, c'est pas ton truc ! » tandis qu'une main la guidait, l'amenait au-dessus d'un sexe sur lequel elle s'empala avec l'impression qu'il n'en finirait jamais de s'enfoncer.

Alors commença la chevauchée dont elle réglait le rythme comme une cavalière effrénée, cognant parfois de toutes ses forces en gémissant de se sentir ainsi transpercée... Et puis de subtiles sensations, comme descendre centimètre par centimètre sur ce sexe inconnu, contracter ses muscles pour l'emprisonner, puis relâcher la pression et le laisser glisser encore un peu, remonter, l'engouffrer un peu plus, et sentir s'éveiller tout l'intérieur d'elle tandis que la verge de l'homme ainsi excitée continuait de grossir et d'écarter ses parois. Elle se demanda qui était l'homme qui la laissait ainsi se caresser avec son sexe et savait si bien se retenir de jouir.

Elle accéléra le tempo, d'abord insensiblement, puis de plus en plus vite et fort, tandis qu'avec ses doigts mouillés de salive elle agaçait son clitoris. Autour d'elle le silence s'était fait, elle n'entendait plus que les halètements de l'homme à qui elle faisait l'amour, mêlés à ses propres onomatopées brèves et rauques. La tête lui tournait comme un vertige, un étourdissement de fatigue à se creuser si violemment et si profondément. Elle pensa une seconde « Je n'en peux plus, je vais mourir ! » avant de jouir tout à fait et de s'écrouler sur la poitrine de l'homme en criant.

Deux mains derrière sa tête défirent le bandeau. Elle cligna des yeux sous la lumière : autour du lit, ils étaient quatre, qui lui souriaient. À deux mètres de là, dans un fauteuil, son compagnon fumait un cigare, impassible. Elle regarda l'homme au-dessous d'elle. Il n'était ni beau, ni laid : quelconque. Jamais dans la vie ordinaire elle ne lui aurait prêté la moindre attention. Elle pensa à Solal, dans *Belle du Seigneur* qui avait voulu séduire Ariane déguisé en vieillard édenté et s'en voulut de n'être pas plus intelligente que cette stupide aryenne. Alors elle referma les yeux, caressa les joues, les épaules et le torse de l'homme qui lui semblèrent à nouveau tièdes et doux. Désirables.

ENFANCE PIEUSE

« Allons nager, disait-elle, l'eau doit être bonne au coucher du soleil. »

Ils nageaient, cinq cents mètres, parfois plus, puis s'accrochaient à un rocher pour souffler un peu. Leurs mains se frôlaient par inadvertance, et l'envie d'eux les reprenait aussitôt. Elle plongeait en apnée, lui caressait les cuisses, léchait son sexe à travers le maillot et le faisait grossir sans jamais se lasser du phénomène. Alors il l'agrippait à son tour, lui murmurait « Salope ! » à l'oreille et la pénétrait sans plus attendre. Elle gémissait « Brute ! Pas si vite ! » pour se contredire dix secondes après : « Plus vite, mon amour, baise-moi fort et vite. »

Ils se désiraient dans les hôtels de luxe où elle l'avait entraîné contre son gré, espérant sans doute l'intimider suffisamment pour qu'il en fût un peu refroidi. Mais peine perdue. À peine dans l'ascenseur, il soulevait sa jupe, lui plaquait la main sur le ventre et savait tout de suite où la fouiller pour qu'elle oublie toute retenue et, au lieu de lui dire « Arrête ! On va se faire surprendre ! », murmure « Continue ! Je vais bloquer l'ascenseur et tu vas me prendre là, tout de suite ! ».

Un soir, après un dîner dans un restaurant chic, en plein bois, il l'avait plaquée contre un arbre, à deux pas de l'entrée de l'établissement. Il l'embrassait, les passants leur jetaient un coup d'œil rapide. Bref, ils se tenaient encore bien. Puis il avait pris sa main, l'avait glissée non dans son slip à lui comme elle s'y attendait, mais dans sa petite culotte à elle : « Caresse-toi ! » Et tandis qu'elle s'exécutait, médusée de sa docilité, il lui murmurait à l'oreille des mots tendres et torrides, lui racontait comment tout à l'heure, de retour chez lui, il la coucherait sur la table du salon et la pénétrerait fort, très fort… « Mais avant, ma langue sera passée sur tout ton corps, pas un centimètre de peau ne sera oublié, je mangerai tes seins, je goberai ton sexe, tu mouilleras comme jamais, mes doigts s'enfonceront en toi sans jamais te forcer, ils glisse-ront dans ton ventre, tu les sens déjà, n'est-ce pas ? »

Et elle, haletante, continuait à se caresser et sentait monter en elle la vague du plaisir. Elle gémit, il lui mordit les lèvres presque violemment : « Non, ne jouis pas tout de suite, ce n'est pas encore assez, continue à te caresser. Les gens commencent à te regarder quand ils passent près de nous. Ils voient que tu es excitée. » En parlant, il descendait sa main, rejoignait les doigts de la jeune femme, les touchait : « C'est bien, ils sont tout mouillés. Continue jusqu'au bout, il faut que tu jouisses par surprise. » Il l'avait forcée à attendre, à oublier le lieu, la nuit, les passants, et elle s'était brusquement tendue, arc-boutée contre sa verge bien dure, le ventre agité de soubresauts terribles. Elle avait crié. Des couples emmitouflés dans leur manteau d'hiver s'étaient retournés, surpris. Il faisait trop noir, ils n'avaient rien pu voir et rentraient dans leurs voitures avec à l'esprit d'inquiétantes suppositions. Ce bois devenait infréquentable.

Il l'avait peu à peu amenée à tout accepter de lui, mais ils vivaient dans son monde à elle. Un monde confortable, aisé, rassurant. Il voulait la mettre à nu plus durement encore.

« Ce week-end, lui dit-il, c'est moi qui t'invite. »

Elle accepta. Il conduisait très vite sur l'autoroute et elle s'assoupit quelques heures. Une odeur d'iode la réveilla, une sensation de vent froid. Il s'était arrêté, avait ouvert la vitre : « La Bretagne. Tu connais ? »

Il pleuvait. Le village dans lequel ils venaient d'arriver semblait mort ou pas loin. Quelques lueurs bleutées aux fenêtres – des écrans de télévision – donnaient un semblant d'existence à ces maisons de granit et d'ardoise. Les mouettes volaient très haut en jouant avec la bourrasque. Elle frissonna. Il la prit par l'épaule, l'entraîna vers une petite maison dont il ouvrit la porte.

« C'est là que j'ai passé mon enfance. Entre. »

On arrivait directement dans la cuisine. Au centre trônait une table en bois sombre posée sur un tapis de sisal qui dissimulait les fêlures du carrelage. Sur la table, un napperon de dentelle au crochet, une corbeille emplie de fruits en plastique décolorés par le temps. Autour de la table, quatre chaises de paille. Le long d'un mur, un vieux frigo crème aux formes arrondies, un buffet qui lui rappela celui de ses parents, dans les années soixante. L'ensemble était plutôt propre, quelqu'un devait venir régulièrement faire le ménage, mais elle eut l'impression d'un décor fixé pour l'éternité dans sa routine et en éprouva un malaise.

Elle poussa une porte, découvrit le lit et son édredon rouge, glacé.

« Je vais mettre des draps, dit-il en ouvrant une maie emplie de linge. Et allumer la chaudière, il fait un froid de canard. »

Ils firent le lit ensemble et ne l'étrennèrent pas immédiatement. Elle semblait raidie par ce nouveau cadre, intimidée par les draps de coton rêche et leurs broderies à jour échelle qui la transportaient dans une autre époque, vers d'autres valeurs. Elle avisa un prie-Dieu, dans l'angle de la chambre :

« Qu'est-ce que ça fait ici ?

— L'un de mes oncles était prêtre. Il venait voir ma mère – sa sœur – et lui a légué ses meubles et beaucoup d'objets pieux. Il est mort il y a quatre ans. »

Ils explorèrent les autres pièces : un bureau rempli de manuels scolaires et de livres reliés – « C'est là que travaillait mon père » – et, à l'étage, un grenier poussiéreux qui sentait les vieux vêtements. Elle y découvrit deux soutanes, en saisit une et la tendit à son amant : « Cela t'irait à merveille. Tu aurais l'air d'un ecclésiastique pervers.

— C'est possible, rit-il, il paraît que je suis le portrait craché de mon oncle ! Mais pourquoi pervers ?

— Je ne sais pas. »

Elle avait rougi en répondant. Il lui prit les mains : « Raconte-moi. Tu as un compte à régler avec les curés ?

— Oui, enfin non. Quand j'étais petite, la chapelle du village n'avait pas de confessionnal, ou plutôt le confessionnal était réservé aux adultes. Le curé confessait les enfants dans le presbytère. Il s'asseyait sur une chaise haute et nous faisait agenouiller à ses pieds, les mains posées sur ses genoux pour ne pas perdre l'équilibre…

— Et alors ? Continue, ça m'intéresse.

— Avec les copines, on avait remarqué qu'il nous prenait les mains, soi-disant pour ne pas qu'on tombe, mais il les remettait à chaque fois un peu plus haut sur ses cuisses… si bien que nous achevions la confession les mains posées sur ses couilles.

— Vous ne fantasmiez pas un peu ?

— Pas du tout, fit-elle indignée. Tu dis comme nos parents ! Il le faisait, et d'ailleurs, il ne le faisait qu'aux filles, jamais aux garçons, tu vois bien.

— Je vois. Et cela te troublait ?

— Je ne crois pas. À onze ans j'étais une vraie gourde, je ne soupçonnais rien du sexe. C'est à peine si je savais que les garçons avaient des couilles. Quand le curé me demandait si j'avais fait des vilaines choses toute seule, je ne savais pas que la masturbation existait. Alors à tout hasard je lui répondais : "Oh oui, souvent !" parce que j'avais peur de pécher par orgueil en prétendant ne jamais rien faire de mal. Le pauvre a dû imaginer que j'étais une gourgandine… »

Il fut ému du mot. Gourgandine, c'était vieillot, désuet, loin de son assurance habituelle de femme moderne. Il la découvrait issue comme lui d'une province, enfant timide. Il sourit :

« Changeons de sujet. Tu veux te doucher ?

— Où ça ? Il n'y a pas de salle de bains.

— Évidemment, petite-bourgeoise. Mais tu vas voir comment on se lavait, dans le peuple. »

Elle le regarda installer un paravent dans la cuisine, près de l'évier, puis apporter un tub en métal, qu'il emplit d'eau chaude (« la chaudière à gaz n'est pas d'époque, on l'a installée il y a quelques années. Avant, on faisait bouillir l'eau dans une lessiveuse, sur la cuisinière »).

Il apporta le prie-Dieu dans la pièce : « Tu peux y poser tes vêtements. Je te laisse. »

Elle se déshabilla en frissonnant malgré la chaleur qui montait progressivement. Puis elle disparut derrière le paravent, enjamba le tub et commença à faire ruisseler l'eau chaude sur son corps à l'aide d'une grosse éponge. Il lui avait proposé un savon de Marseille, qu'elle avait accepté. Ce week-end, il la voulait dans son monde à lui. Le jeu l'amusait. Elle le connaîtrait différent, avec peut-être des désirs inédits… Il revint dans la cuisine.

« J'ai trouvé une grande serviette bien épaisse, tu n'auras pas froid en sortant.

— Merci, tu es un amour. »

Il la regardait se savonner, en ombres chinoises à travers le paravent de toile claire. La courbe de sa hanche, le mouvement gracile de ses bras s'attardant dans les creux et les replis secrets du corps le firent bander. Il la désirait à nouveau. Le calme avait été de courte durée… Mais avant, il avait une surprise pour elle.

Quand elle apparut, nue devant lui, elle ne put retenir un cri de surprise. Il avait revêtu une des soutanes de son oncle et cet habit lui conférait un air austère qui le rendait presque étranger :

« C'est fou ce que ça te change, j'en suis impressionnée. Bonjour mon père, fit-elle en esquissant une révérence.

— Mon enfant, répliqua-t-il sans sourire, la rumeur prétend que tu es une pécheresse. Aussi je suis venu te proposer pénitence. Approche-toi et raconte-moi tout. »

Il s'assit sur une des chaises de paille, elle s'agenouilla sur le tapis de sisal qui lui éraflait les genoux. Il disposa la serviette sur ses épaules, lui sécha le dos, prit ses mains, les posa sur ses genoux et interrogea :

« Mon enfant, as-tu parfois de mauvaises pensées ?

— De mauvaises pensées, mon père ?

— Commets-tu le péché d'impureté en actes ou en pensées ?

— Mon père, je ne comprends pas. Expliquez-moi. »

Il prit entre deux doigts le bout d'un de ses seins et le malaxa doucement, puis plus fort en le sentant durcir et s'ériger. Sous la caresse, elle ne put réprimer un frisson. Le faux prêtre lui donna aussitôt une tape sur les fesses : « Tu as ressenti du plaisir, n'est-ce pas ?

— Oui, mon père.

— Malheureuse ! Le plaisir de la chair est un péché, et tu mérites d'être punie. »

Il allongea à nouveau le bras, lui assena deux autres claques plus fortes qui lui chauffèrent la peau. Elle sursauta, furieuse, prête à s'insurger contre ce jeu idiot, mais le trouble l'emporta : elle avait envie de continuer, de voir jusqu'où irait son amant, jusqu'où elle le suivrait. Il se pencha sur sa poitrine, prit la pointe du sein bien dure entre ses lèvres et la suça longuement. Avec sa langue et ses dents, il l'agaçait et elle se sentait défaillir, sur le point de jouir. Cet homme avait le génie de sublimer la plus simple des caresses. Alors que son ventre ne cessait de trembler et que des gémissements sortaient de ses lèvres, il arrêta net de la titiller, l'empoigna par les aisselles et la bascula sur ses genoux. Le nez enfoui dans les plis de la soutane, elle huma l'odeur de poussière et d'encens du tissu qui lui provoqua une émotion étrange, comme venue de très loin. D'une voix sévère, il lui dit qu'une fillette aussi ardente était un danger pour la religion, une créature quasi satanique et qu'il était à son grand regret obligé de la châtier. Posément, à un rythme lent qui suscitait chez elle une attente éperdue et inquiète, il lui assena une nouvelle claque légère, puis une plus sèche, et quelques autres vraiment fortes, bref, une vraie fessée. Instinctivement, elle ondulait le bassin pour tenter d'éviter ou de détourner les coups, mais il la maintenait de l'autre main, et elle se laissa bientôt faire, le cœur battant, surprise de ce jeu qu'elle n'aurait jamais imaginé accepter et stupéfaite de sentir rouler le long de sa cuisse une humidité révélatrice.

Impitoyable, il glissa l'index entre ses deux fesses, lentement, et suivit le sillon jusqu'au sexe :

« Mon Dieu ! Te voilà toute mouillée en cet endroit honteux ! Tout attouchement, même une fessée, t'est donc plaisir ? Il faut te défaire de ce penchant. Sais-tu comment on guérit le péché de gourmandise ?

— Non, mon père.

— On force l'enfant gourmand à manger tant de gâteaux qu'il en devient malade, tant de crème et de sucres qu'il n'en supporte plus le goût et que plus jamais, tu entends : plus jamais il ne sera tenté par l'horrible gourmandise. Je vais t'appliquer le même traitement pour te guérir de ton esprit de luxure. Pour commencer, je vais entrer mon doigt dans ta fente. Sens comme je le fais aller et venir, douce-ment… à présent je l'enfonce, je te fouille, je vais aller très loin au fond de toi… »

Et tandis qu'il lui décrivait par le menu les caresses qu'il lui prodiguait et qu'elle croyait connaître par cœur depuis le temps qu'ils se désiraient et se pos-sédaient sans arrêt, sans répit, partout où ils se retrou-vaient, elle eut soudain l'impression d'être redevenue la petite fille d'antan ignorante des hommes et de la vie, déroutée par ce prêtre qui l'avait agressée avec sa phrase énigmatique : « As-tu fait de vilaines choses ? » puis l'avait punie de sa réponse affirmative par une pénitence de plusieurs chapelets d'affilée à réciter à genoux, punition jamais comprise et reçue comme une injustice. Alors monta en elle une bouf-fée de haine et elle cria « Arrête ! » mais lui n'arrêta pas et lui murmura à l'oreille : « Tu l'as détesté de te salir, n'est-ce pas, et tu n'as rien osé lui dire. À présent, déteste-moi comme si j'étais lui pour tout ce que je vais te faire, puis va au bout de toi, oublie cette idée de péché et ensuite tu n'auras plus jamais honte, plus jamais peur. »

Alors elle joua le jeu jusqu'au bout, s'étrangla comme si elle ne reconnaissait pas le sexe adoré de son amant lorsqu'il la fit remettre à genoux et lui enfonça sa verge au fond de la gorge. Elle resta passive comme il convenait pour une enfant innocente et le laissa lui saisir les cheveux et manipuler lui-même sa tête d'avant en arrière. Lorsqu'il sentit que le désir reprenait le dessus, il la lâcha et la laissa choisir elle-même le rythme qu'elle mena à une allure de plus en plus violente, avide de faire à son tour gémir et plier son meneur de jeu.

Puis il l'allongea jambes écartées sur le tapis, caressa tout son corps du bout des doigts comme un gigantesque frisson de plume, souffla une brise sur sa peau depuis le haut du visage jusqu'à l'entrée de sa vulve qu'il ne toucha pas mais ouvrit avec sa langue en prenant tout son temps, orfèvre absolu dans l'art de la hisser presque au sommet du plaisir, de la faire psalmodier « Oui, continue, je vais venir, n'arrête pas surtout » et de s'arrêter au paroxysme de ses tremblements pour laisser retomber son excitation juste un peu, la reprendre au bout de sa langue et la faire monter ensuite plus haut et plus rapidement que la fois précédente, puis recommencer, recommencer autant de fois qu'il le fallait au point de l'amener au bord de l'exaspération, terrifiée de se sentir ainsi lâcher prise, perdre tout contrôle et hurler « Arrête, arrête, je t'en supplie arrête ! » au moment précis où elle jouissait. Il voulait qu'elle s'abandonnât totalement, et faisait tomber ses défenses une à une.

Lorsqu'il eut retrouvé assez de vigueur pour être sûr de pouvoir la baiser longtemps et fort, il la fit mettre à quatre pattes, la croupe bien relevée, la tête posée sur le tapis de sisal, et tandis qu'il la pénétrait et s'activait en elle, elle sentait sa joue râper la matière rêche lorsque le plaisir lui faisait tourner la tête de gauche à droite et de droite à gauche en riant et pleurant à la fois tellement c'était bon et violent de sentir s'échapper d'elle comme une lave brûlante tant de sensualité si longtemps retenue.

Il mit ses doigts et son sexe partout en elle et elle accepta tout, même ce qu'elle croyait ne pas aimer et qui la faisait à présent se tordre sur le sol en spasmes infinis.

Ils n'auraient su dire combien de temps dura cette séance. La pièce glacée à leur arrivée leur paraissait une fournaise. Ils ne sentaient plus leurs jambes, ni leurs bras, ni leur corps qui semblaient flotter dans une autre dimension. Toute leur sensibilité s'était concentrée dans leur sexe, si bien que l'ultime fois où il décida de la faire jouir, il se contenta de poser très tendrement sa bouche sur son clitoris, puis ses mains de part et d'autre comme lorsqu'on veut dire un secret à l'oreille, et lorsqu'il murmura « Je t'aime », le simple mouvement de ses lèvres suffit à déclencher chez elle un nouvel et merveilleux orgasme.

LA FONTAINE DE TREVI

Longtemps, elle n'avait su d'italien que les phrases de survie indispensables pour passer quelques jours à Rome ou à Venise, puis elle s'était prise de passion pour cette langue et l'avait apprise en cours du soir, en peu d'années. Elle en aimait les sonorités, les « r » roulés comme des galets dans le lit d'une rivière, polis, arrondis et si doux en bouche qu'aucun mot ne pouvait plus blesser. Elle en aimait le rythme, capable de transformer toute phrase italienne en chanson d'amour, y compris les chants révolutionnaires, le ton à la fois joyeux et solennel de la commedia dell'arte.

Elle prit même un amant italien, quelques semaines, qui la déçut par sa banalité. Ses mots étaient de soyeuses caresses, ses gestes hélas sans surprises. Au bout de deux nuits en sa compagnie, elle savait exactement quel itinéraire emprunteraient ses mains et sa bouche sur son corps, et le plaisir en devenait laborieux. Elle rompit, décida de l'oublier en passant seule un week-end à Rome. Elle aimait la ville, l'air qu'on y respirait et le brouhaha chantant des conversations. Elle aimait les petites places d'ombre et de soleil où il fait si bon flâner et sentir la tiédeur des rayons sur sa peau. Elle dégustait à petites gorgées, à bouchées minutieuses, l'expresso et le *tartuffo* qu'on ne trouve nulle part ailleurs aussi corsés, aussi puissants. Elle aimait déambuler dans des maisons de collectionneurs privés découvertes par hasard, où elle pouvait admirer des chefs-d'œuvre antiques que ne mentionnait aucun guide touristique. Elle passa quelques jours délicieux, d'une sensualité extraordinaire, sans homme.

La veille de son départ, elle s'assit à une terrasse, tout près de la fontaine de Trevi et commanda un capuccino. Autour d'elle, la foule habituelle des touristes grimpaient sur les statues de la fontaine et jetaient des pièces dans l'eau pour que s'accomplissent leurs vœux. Elle se souvint avoir satisfait à la tradition lors de son premier séjour à Rome, lorsque le guide avait solennellement averti : « Qui jette une pièce dans la fontaine de Trevi est assuré de revenir dans la Ville Éternelle. »

Elle but sa tasse lentement, en savourant le plaisir de la crème mousseuse sur ses lèvres. « Demain, je serai de retour à Paris et il fera gris » pensa-t-elle. Elle se leva, décida de faire un ultime grand tour de la ville avant de rejoindre son hôtel. Le ciel était d'une luminosité déchirante, la brise un peu fraîche. Elle frissonna, et ce frisson éveilla son désir. Elle s'arrêta devant la vitrine d'une librairie où était exposée une rangée de livres entourés d'un bandeau rouge : « Vassilio Alessi ». Le nom lui disait quelque chose, mais

pas le titre du livre, qu'elle traduisit approximative-
ment par *Conversations avec mon sexe*.

Elle entra.

L'ouvrage venait sûrement de sortir, il y en avait
une pile imposante sur une table. Elle prit un des
livres, lut la quatrième de couverture : « *L'histoire
d'un peintre déchiré entre ses ambitions artistiques
et son goût pour les femmes qui l'entraîne dans une
quête sexuelle obsessionnelle où il perd peu à peu la
raison...* » En bas de la couverture, la photo de l'auteur, format timbre-poste, l'attendrit. Tout de suite,
elle aima les rides comme des fossettes qui creusaient son visage étroit, et son regard malicieux. Elle
feuilleta quelques pages. Certaines tournures de
phrases lui échappaient, pas assez cependant pour ne
pas percevoir la violence érotique de l'écriture. À la
page 48, le peintre attachait l'un de ses modèles à un
chevalet, cuisses écartées, et du bout de son pinceau,
peignait son sexe de couleurs flamboyantes. Elle
imagina la sensation que pouvait procurer le glissement des poils du pinceau sur la fente ainsi offerte et
se sentit si troublée qu'elle ferma les yeux.

« Vous lisez l'italien, madame ? » dit une voix derrière elle.

Elle sursauta. Le libraire regardait par-dessus son
épaule. Elle ferma vivement le livre, comme prise en
faute, et s'étonna : « Vous parlez français ? »

L'homme sourit : « J'ai vécu douze ans à Paris,
tout près de la place Furstenberg. Vous connaissez ?

— Bien sûr... mais comment avez-vous vu que je
suis française ?

— À votre façon de lire, au mouvement de vos yeux le long des lignes. Je vous ai vue hésiter, reprendre certaines phrases au début, et j'ai su que vous étiez étrangère. Française, pourquoi ? À votre émotion en lisant cette scène. J'ai eu plusieurs maîtresses françaises, elles fermaient les yeux exactement comme vous lorsque le plaisir les submergeait. »

L'homme avait une voix grave, un collier de barbe bien taillé, un corps puissant. Peut-être soixante ans, ou un peu moins. Elle le trouva séduisant. Juste assez pour s'en tenir là. Elle reprit le livre, demanda son prix. En lui rendant la monnaie, le libraire précisa :

« Savez-vous que Vassilio Alessi vit en partie à Paris ?

— Non, je ne savais pas.

— Il partage son temps entre Rome et Paris. Ce roman est un succès en Italie, je suppose qu'il va être rapidement traduit en France. »

Elle s'était promis de dormir tôt pour ne pas être fatiguée le lendemain : son avion décollait à sept heures. En fait, elle passa presque toute la nuit à lire. Elle avait glissé sa main gauche entre ses jambes et se caressait au fil des pages, presque machinalement. Parfois, la sensation douce de la caresse se faisait brutalement aiguë et la faisait trembler de tous ses membres. Elle lâchait le livre, se tordait sur le lit, mordait son poing, griffait les draps, surprise elle-même par l'intensité de son plaisir. Elle jouit plusieurs fois, la dernière fois si bruyamment qu'un voisin toqua au mur de sa chambre avec un juron obscène. Alors elle éteignit la lumière et s'endormit.

Dans un des chapitres du livre, Vassilio Alessi évoquait la fontaine de Trevi en termes si enchanteurs, si proches des sensations qu'elle-même avait éprouvées qu'elle décida de lui écrire : « *Monsieur, je connais vos livres depuis longtemps en version française, mais j'ai découvert votre dernier titre en italien à Rome, alors que je venais de boire un capuccino près de la fontaine de Trevi. Je voulais vous dire combien j'ai aimé votre description de la lumière...* »

Quelques jours plus tard, elle trouva sur son répondeur un message : « Ici Vassilio Alessi. J'ai reçu votre lettre, qui m'a beaucoup touché. Je signe demain *Conversations avec mon sexe* à la librairie X..., boulevard Saint-Germain. Je serai heureux de vous y rencontrer. »

Elle s'y rendit habillée d'un jean noir et d'une chemise blanche qui lui donnaient dix ans de moins. La petite librairie était bondée de curieux, d'admirateurs – d'admiratrices surtout –, toute cette faune spécifique aux cocktails littéraires, capable de se congratuler entre parfaits inconnus. L'auteur était assis au fond, devant une pile de livres à dédicacer. Elle le regarda de loin et constata que la photo de couverture devait dater de quelques années. Il avait ce soir un air un peu fatigué, un peu fané, qui ne manquait cependant pas de charme. Une grosse dame en robe à fleurs s'évertuait à aligner deux phrases d'italien pour clamer son amour de cette merveilleuse péninsule et sa dévotion pour le grand homme. L'auteur lui répondait gentiment, l'air un peu las, tout en traçant sur la page de garde du livre qu'elle lui tendait une arabesque suivie d'un dessin, qui lui tenaient lieu de signature. Il embrassa ensuite deux jeunes femmes de sa connaissance, fut félicité par des amis. Elle, debout devant lui depuis plusieurs minutes, se demandait pourquoi elle était venue.

C'est alors qu'il leva les yeux vers elle, interrogateur. Elle bredouilla, lui parla de sa lettre à elle, de son message à lui. Il la toisa de bas en haut, sourit :

« C'est gentil d'être venu. J'ai beaucoup aimé votre lettre, vous y faites preuve d'une vraie sensibilité. Donnez-moi votre livre… ah, c'est la version italienne. Je vais vous offrir la version en français. Je vous dédicace les deux. »

Elle reprit les livres sans les ouvrir, mais s'empressa de regarder ce qu'il avait écrit dès qu'elle fut hors de sa vue.

« *À Lisa, pensées amicales de Vassilio Alessi.* »

Quoi ! tant de banalité de la part d'un homme qui l'avait fait jouir trois fois de suite dans un hôtel italien ? Elle eut l'impression d'être congédiée, traitée comme une aventure d'un soir, une groupie que le glorieux écrivain s'empresse d'oublier aussitôt qu'il l'a sautée. Le dépit la fit retourner vers la table : « Je m'en vais, dit-elle en lui tendant une main glacée. Je vous dis au revoir. »

Alors seulement il la regarda, vit qu'elle était jolie et eut envie d'elle. Sa voix se fit très douce pour la retenir :

« Tu pars ? Excusez-moi : vous partez ?

— Oui, je dois rentrer chez moi.

— Écoute… je te tutoie parce qu'en Italie on se tutoie tout de suite. J'aurais bien aimé boire un verre avec toi, mais là je ne peux pas, des amis m'attendent. Viens demain après-midi chez moi, on parlera de l'Italie. »

Il lui griffonna l'adresse sur un post-it et la serra contre lui : « Tu viendras, n'est-ce pas ? Je compte sur toi. »

Vassilio Alessi habitait un vieil immeuble dans le XVᵉ arrondissement, dont elle grimpa les cinq étages à pied. L'escalier en bois, recouvert d'un tapis rouge à fleurs, râpé au milieu de chaque marche, sentait la pomme et l'encaustique. Arrivée sur le palier, elle chercha la sonnette, ne la trouva pas et frappa plusieurs fois, d'un index d'abord timide, puis plus fermement. L'écrivain lui ouvrit en souriant :

« Entre. Je t'attendais. »

Il était en survêtement gris, des pantoufles aux pieds. Dans la pièce minuscule flottait une odeur de légumes, mêlée à celle du gaz butane. Vassilio lui désigna le coin cuisine : « J'étais en train de préparer une soupe pour ce soir. Tu comprends, je déjeune tout le temps au restaurant, parfois j'ai besoin de plats simples pour récupérer. »

Il souleva le couvercle : « C'est une soupe aux haricots et à la tomate, une recette de ma mère. J'adore ça mais j'en fais rarement parce qu'il faut que ça cuise au moins deux heures. Bon, j'ai fini, il n'y plus qu'à laisser mijoter. Je t'offre à boire : un café, une bière, du sirop de menthe ? »

Elle s'assit gauchement sur le divan, regarda autour d'elle, surprise par la modestie de l'endroit. La pièce était essentiellement meublée d'un bureau (ordinateur, piles de livres, téléphone/fax) et du divan. Dans un recoin, deux lits superposés à une place, et au fond un escalier, une échelle plutôt, menant à une mezzanine. Il lui expliqua, tout en venant s'asseoir près d'elle, son verre à la main :

« À Paris je vis comme un célibataire, juste pour travailler. J'ai aussi un petit appartement à Rome. Ma femme et mes deux filles vivent en Toscane. Je suis divorcé, mais je vais les voir chaque année et les filles me rendent visite aussi. Les lits superposés, ce sont les leurs.

— Elles ont quel âge ?

— Douze et quinze ans. Déjà des femmes. »

En disant cela, il posa une main sur l'épaule de Lisa, l'attira à lui et écrasa sans hésiter ses lèvres contre les siennes. Il avait un baiser goulu, trop mouillé, qui lui déplut. Elle s'en libéra aussitôt que possible, feignant de perdre souffle. Il essaya d'ouvrir son chemisier, elle s'écarta :

« Non, je ne veux pas.

— Tu ne veux pas ? Mais j'ai envie de toi ! J'ai eu tout de suite envie de toi dans la librairie. Tu le savais en venant, tu sais bien pourquoi je t'ai demandé de venir ici. »

Il prit la main de Lisa, la posa en haut du pantalon.

« Regarde comme je bande. Tu ne peux pas me laisser comme ça, tu ne peux pas ! »

Elle ferma les yeux quelques secondes, pas plus, le temps de sentir sous sa paume la bite gonflée qui lui évoqua la barre franche d'un voilier, la mer bleue, l'Italie. Elle pensa aux chapitres du livre qui l'avaient tant troublée, quand le peintre dominait ses modèles et leur imposait des plaisirs ambigus faits de frustration et de honte mêlées. Elle se souvint de sa propre gêne à avoir joui sous ses doigts en les lisant, et de sa perplexité à découvrir en elle des pulsions aussi obscures. Aujourd'hui, c'est elle qui allait décider.

« Je ne vais pas te laisser comme ça. Tu vas jouir, mais je ne veux pas que tu me touches. »

Elle lui mit un coussin sous la tête, le fit s'allonger sur le divan, baissa le pantalon, le slip. Le sexe jaillit d'un coup, ni très gros, ni très long, mais raide de désir. Elle prit la main de Vassilio, la posa sur sa verge :

« Caresse-toi. »

Il fit non de la tête, stupéfait, essaya encore de l'attirer à lui. Elle s'écarta vivement, parla plus durement.

« Branle-toi et regarde-moi. Je vais te montrer mes seins, juste mes seins, et je les caresserai devant toi, mais toi, interdiction de me toucher. Ce que je veux, c'est te voir, voir ta main s'agiter, regarder comment tu secoues ton sexe. »

Elle ouvrit devant lui son chemisier très lentement, bouton après bouton, en le fixant droit dans les yeux tandis qu'il commençait à faire aller et venir sa main le long de la verge. S'il ralentissait, s'il semblait hésiter, elle lui ordonnait : « Continue, serre-la bien, masturbe-toi comme si je n'étais pas là, comme tu te masturbes sûrement devant ton clavier quand tu tapes tes bouquins. Tu as joui combien de fois pour écrire *Conversations avec mon sexe* ? Dix fois, vingt fois ? »

Il n'en revenait pas qu'elle l'eût ainsi deviné. Elle serrait le bout de ses seins avec art, les faisait se dresser et durcir comme de petits pénis. Elle les humecta de salive avec ses doigts, les rendant brillants comme des fruits mûrs. Il la regardait, fasciné. À la librairie, abusé par son allure juvénile, il l'avait prise pour une oie blanche, une de ces lectrices naïves qu'on mène dans son lit d'un seul mot. Voilà qu'elle se révélait expérimentée et perverse comme une vieille pute, et dominatrice sous son air sage, avec sa jupe même pas très courte, son chemisier blanc qu'elle avait à présent totalement ouvert. Cette pensée l'excitait très fort. Il accéléra le mouvement de sa main, qui devint incroyablement rapide, effréné, comme une urgence. Il gémit : « Maintenant, maintenant... je vais venir... je viens... oh oui ! »

Il eut plusieurs jets puissants. Elle lâcha aussitôt ses seins pour mettre ses mains au-dessus du sexe et recueillir comme une bruine les gouttes de sperme sur ses paumes. À cet instant, elle pensa aux jets d'eau de la fontaine de Trevi dont elle s'était rafraîchi le visage un jour de canicule, et passa ses mains sur ses joues de la même façon, respira l'odeur du sperme qui engluait sa peau. Elle ferma les yeux. Vassilio Alessi se redressa, la serra fort contre lui :

« Merci. Tu m'as fait vivre un moment... étonnant. J'avais imaginé autre chose, mais tu m'as surpris. Agréablement surpris. »

Il allongea le bras gauche, prit un livre sur son bureau :

« Tu n'a sûrement pas ce recueil de poèmes, il n'a pas été publié en France. Tu lis l'italien, si j'ai bien compris ?

— Oui, j'y arrive.

— Alors je te l'offre. »

Il dévissa son stylo, écrivit quelques lignes et signa de son éternelle arabesque. Lisa reboutonna son chemisier, arrangea sa jupe autour de sa taille et se leva.

« Merci à toi aussi, Vassilio. Au revoir. »

Sur le palier, elle lut la dédicace à la lueur de la minuterie :

« *À Lisa, femme jaillissante comme la fontaine de Trevi. Je ne t'ai pas jeté de pièce, mais j'espère te revoir. Vassilio.* » Il avait signé *Vassilio* tout court, sans le nom d'écrivain. Une intense jubilation, un sentiment de triomphe l'envahirent. Elle descendit l'escalier très vite en s'accrochant à la rampe pour ne pas perdre l'équilibre dans les tournants. Parfois, sa main collait au vernis de la rampe, d'un peu de sperme résiduel.

LE REPRÉSENTANT

José Luis habite un troisième étage au-dessus d'une rue passante de Pampelune. Il n'a pas besoin de réveil le matin. Dès quatre heures, cinq heures, son sommeil cotonneux est déchiré par les vrombissements des motos, le coup de frein strident des poids lourds. Son immeuble se trouve à l'angle d'un carrefour à feux tricolores. À chaque freinage brutal – les poids lourds se décident toujours au dernier moment à s'arrêter – les chaînes des remorques gémissent, tout le chargement brinquebale. José Luis se tourne et se retourne dans son lit, avec l'impression de gâcher la fin de sa nuit, puis tout à coup sursaute, consulte sa montre : 7 h 30 ! Il croyait n'avoir pas fermé l'œil depuis cinq heures et s'était quand même assoupi. Il saute hors du lit, en hâte, puis aperçoit l'éphéméride accroché au mur : 27 juillet. Son cœur bat plus vite. Tout à l'heure, il va entasser ses bagages pour un mois dans le coffre de la voiture et partir en vacances. Seul.

Il part seul depuis cinq ans. Depuis que sa femme Severina l'a quitté en lui assenant qu'il ne l'avait jamais fait jouir en quinze ans de mariage : « J'ai rencontré un homme, un vrai. Enfin je connais le plaisir. » D'une voix froide, cinglante, elle a traité José Luis de minable. De minable ou d'impuissant ? Non, de minable. Tout en soliloquant, il s'est levé et a gagné les toilettes. Chaque fois qu'il urine le matin, il est fier de sentir le poids de son sexe posé sur sa paume. Bien rond, bien ferme entre ses doigts, même sans réelle érection matinale. C'est sûr, Severina ne pouvait pas le traiter d'impuissant ! Ça ne l'a pas empêchée de partir. Et depuis, José Luis se demande ce que lui fait le vrai homme qu'elle a rencontré.

Pour comprendre, il a acheté des revues et des cassettes pornographiques et a regardé ces femmes aux lèvres rouge sang qui ont toujours envie de sucer la bite des hommes, tellement envie parfois qu'elles en sucent deux en même temps. Il a observé dans le détail ce qu'il y avait entre leurs cuisses grandes ouvertes, surpris que ce soit si compliqué, si plein de replis dont chacun, aux dires d'un de ses copains, a sa façon de réagir. De ce copain, il a aussi appris que beaucoup de femmes raffolent qu'on leur lèche le sexe, et il s'est exercé à le faire avec des prostituées, en payant un peu plus cher que pour une passe normale. Ensuite, il s'est enhardi à tester ses nouvelles connaissances avec des femmes de rencontre. L'une d'elles, un soir, lui a dit : « José Luis, toi, tu sais t'y prendre avec les femmes. » Et pour le remercier de lui avoir procuré tant de plaisir, elle a accepté de lui donner son cul. Pour lui, c'était la première fois. Il a joui en quelques secondes, ébloui de se sentir serré dans cet étau si chaud, si sombre, avec le plaisir trouble de la transgression, comme s'il osait enfin commettre un péché mortel dont il s'absolvait en même temps qu'il le commettait en se disant que cette salope l'avait bien cherché, non ? Il ne l'avait jamais revue, elle repartait le lendemain dans sa famille. Mais elle l'avait rendu accro aux sensations fortes et persuadé qu'il était devenu un amant hors pair, un vrai homme.

L'année précédente, il avait passé un mois de vacances à Hendaye : les Françaises l'excitent davantage que les Espagnoles. Il aime les blondes un peu rondes, un peu vulgaires, ou au contraire les brunes longues et fines qui lui donnent envie de les écarteler aux montants du lit, les chevilles attachées par une écharpe de soie dont il ne se défait jamais : elle fait partie de sa panoplie d'homme en chasse. Chaque soir, José Luis aborde des femmes dans la rue en leur proposant un verre, un déjeuner ou un dîner. Son physique passe-partout lui permet de ne jamais être repoussé méchamment. Neuf sur dix ont mieux à faire et l'en informent en souriant, mais la dixième accepte généralement sans faire d'histoires. Il a calculé qu'il lui faut trois ou quatre « dixième femme » pour être sûr d'arriver à ses fins. Entre l'apéritif et le dîner, certaines se ravisent, se découvrent brusquement un rendez-vous urgent, un ami qui devait les appeler, bref elles fuient. Les plus spontanées sont les Françaises entre trente-cinq et quarante ans. Elles disent oui très vite, sans complications, heureuses de s'offrir un intermède sans suite au milieu de vacances familiales où elles en ont parfois assez de trimballer la glacière, le parasol et le pique-nique plus ou moins ensablé dont il faut trier les restes le soir. Ces femmes-là, José Luis les traite comme des reines. Il les amène à son hôtel, une belle chambre trois étoiles, et les baise de toutes les façons pendant deux heures, jusqu'à ce qu'elles bondissent hors du lit en s'exclamant : « Faut que j'y aille ! L'école de voile du gamin ferme à 17 heures ! » Son plus beau souvenir, c'est le soir du 14-Juillet : deux Hollandaises de pas trente ans, un peu grosses, très maquillées, mais pas trente ans tout de même alors qu'il approchait des quarante-cinq ! Il les avait invitées à dîner sans arrière-pensée, juste pour ne pas regarder seul le feu d'artifice. Il avait connu Severina lors d'une fête foraine, elle l'avait quitté après la fête foraine où elle avait rencontré le vrai homme. Depuis, les fusées multicolores et les flonflons lui mettaient du vague à l'âme.

Les deux Hollandaises parlaient quelques mots d'espagnol et de français, lui aussi. Il leur avait payé à dîner et beaucoup à boire, ils avaient ri de plus en plus fort, étaient rentrés à l'hôtel en chantant, bras dessus, bras dessous et s'étaient finalement retrouvés au lit avec elles deux, ivres mortes mais si chaudes, si bonnes à baiser que son sexe s'en dressait encore dès qu'il y pensait. Depuis ce jour, il se dit que toutes les femmes sont voraces.

José Luis ferma le coffre de sa voiture. Il vérifia une dernière fois que le rideau du magasin était bien descendu, le cadenas fermé, puis il s'installa au volant. Sur l'autoroute, il mit l'autoradio et fredonna avec le chanteur un couplet sirupeux qui lui mit du miel dans le ventre. Les chansons d'amour lui donnaient toujours envie de baiser, cela remontait au temps de ses vingt ans, quand le seul moyen dans son village d'avoir une femme sans l'épouser était de la faire danser, puis boire, puis danser à nouveau jusqu'à ce que ses jambes et sa raison chancellent. Il ne trouvait pas que les temps avaient tellement changé. Les femmes espagnoles résistaient toujours beaucoup, parfois jusqu'à huit jours. À son âge, il n'avait plus de temps à perdre.

À la frontière, il sentit comme un air du large. La plage était envahie de parasols, le vent soulevait les vagues en rouleaux qui faisaient hurler d'excitation les enfants. Sur la promenade, des femmes en maillot de bain déambulaient, souvent par deux. Elles pouffaient de rire en bavardant, ou léchaient des cornets de glace dont parfois un morceau tombait à terre, liquéfié par le soleil.

Tout à coup il la vit. Une grande brune en short moulant et débardeur blanc, des sandalettes qui lui faisaient de longues jambes et un air lointain, rêveur, qui lui donna tout de suite envie de la conquérir.

« S'il vous plaît ! »

Elle s'approcha de la voiture.

« Vous êtes espagnole ?

— Non. Française.

— Je cherche le casino.

— Je crois que c'est en continuant tout droit, mais je ne suis pas sûre. Je viens d'arriver. »

José Luis lui proposa un café. Elle déclina l'offre.

« Je suis désolée, j'attends une amie.

— Excusez-moi d'insister. Je n'ai pas pris de petit déjeuner et j'ai horreur d'être seul à une terrasse de café. Si votre amie n'arrive pas tout de suite… »

La jeune femme dévisagea José Luis. Il n'était ni beau, ni laid. Ni grand, ni petit. Un peu rond, le crâne légèrement dégarni, mais rien de rédhibitoire qui justifie qu'elle refuse de prendre un café avec lui. Il alla garer sa voiture, la rejoignit au bar le plus proche, un bar d'hôtel tranquille bercé par les échos d'un piano invisible. Le barman essuyait tranquillement ses verres. C'était l'heure de la plage, tous deux étaient les seuls clients. Elle demanda à José Luis ce qu'il faisait « dans le civil ».

« Je suis représentant en bijoux anciens, argent et pierres fines surtout. Quand les héritiers n'arrivent pas à s'entendre, ils vendent, et c'est comme ça que je trouve de belles pièces.

— En somme, résuma-t-elle, vous êtes représentant en bijoux de famille. »

Il ne connaissait pas l'expression française et ne comprit pas pourquoi elle souriait, mais ce sourire brusquement coquin lui fit l'effet d'une invite. Il se pencha vers elle, admiratif :

« Je te trouve très élégante, très belle. »

Elle ne supportait pas qu'on la tutoie d'emblée. Parfois, pour attiser son désir, elle vouvoyait ses amants. Le « vous » lui revenait aussi lorsqu'elle s'abandonnait à leurs fantaisies, livrait son corps à leurs caprices les plus saugrenus, ou bien lorsqu'elle jouissait si fort que le vouvoiement devenait sa seule défense devant la déferlante énorme du plaisir où elle rêvait de se noyer tout en le redoutant. Alors ce « tu », comme ça, après cinq minutes, c'était d'un anti-érotisme total qui la fermait mieux qu'une ceinture de chasteté à code. Elle sentit des grillages virtuels obturer chacun de ses orifices. Elle eut même la tentation de se lever, de partir, mais la curiosité l'emporta : celle d'observer jusqu'où se perdrait cet homme.

José Luis n'avait rien perçu d'hostile dans le silence de la jeune femme. « Qui ne dit mot consent » pensa-t-il benoîtement. Il posa une main assurée sur la cuisse bronzée. Elle avait la peau douce et il s'en émut : « Tu as des jambes superbes. »

Elle enleva la main, sans brutalité mais fermement : « Je sais. Mais elles sont à moi. »

Il ne se laissa pas démonter. Si elle n'aimait pas les gestes, elle aimerait sûrement les mots, sa repartie le prouvait. Les femmes aiment qu'on leur fasse la cour, qu'on leur promette des choses… Il lui raconta qu'il vivait seul à Pampelune et venait en France pour rencontrer de belles femmes comme elle à qui il pouvait donner un plaisir formidable. Elle eut un demi-sourire, dubitatif. Il se pencha à nouveau, souffla :

« Je mesure vingt-deux centimètres et je peux tenir très longtemps sans jouir. »

« Pas d'erreur, pensa-t-elle, c'est vraiment un représentant en bijoux de famille ! » Cette pensée lui donna un fou rire terrible qu'elle réfréna du mieux qu'elle put en répliquant joyeusement :

« Bravo ! Félicitations à votre maman. Mais ça ne veut rien dire. »

José Luis n'avait pas tout saisi. Il lui demanda :

« Est-ce que tu peux parler plus fort et plus lentement ? J'ai été opéré d'un tympan et je n'entends pas très bien. »

Encore plus joyeuse, elle articula à voix haute :

« Vingt-deux centimètres, c'est très bien, mais il vaut parfois mieux une courte qui sait y faire qu'une longue paresseuse. »

Le sourire du barman qui n'en perdait pas une miette la récompensa largement. Lui était beau, bouclé comme un jeune pâtre, avec un regard bleu marine à faire damner les lycéennes. Elle se serait volontiers laissée aller à quelque débauche en sa compagnie…

José Luis décida de frapper un grand coup. Il lui chuchota à l'oreille :

« Est-ce qu'il y a longtemps qu'on t'a sucé la chatte ? »

Elle se dédoubla en un clin d'œil. D'un côté une haine violente pour ce connard qui employait exactement les mots qu'elle détestait, et de l'autre un sang-froid qui lui fit répondre, méprisante :

« Longtemps ? Non. Ça date d'hier soir. »

Il en fut suffoqué. Il s'attendait à une réplique violente, ou qu'elle rougisse, ou ne sache pas de quoi il s'agissait. Mais pas cette tranquille assurance, cette sérénité de femme comblée. Il insista, troublé :

« C'est vrai ? On te le fait ?

— Mais enfin, fit-elle avec hauteur, vous plaisantez ? C'est le B-A BA de l'amour, la première chose que les hommes apprennent. Enfin, ceux qui savent s'y prendre… »

Il se sentit perdre pied, tenta de se raccrocher à quelque chose, mais le siège n'avait pas d'accoudoir et elle-même se tenait à un mètre de lui, distante de millions de kilomètres qui ne cessaient à présent de s'étirer. Il saisit un mot, le dernier, comme une planche vermoulue :

« Je sais m'y prendre, tu sais. Je l'ai fait à deux femmes l'an dernier. Tous les trois dans le même lit. Elles ont adoré. »

Il ajouta, sous l'œil ébahi du serveur :

« Si tu veux, je t'invite à dîner et ensuite je te suce toute la nuit. Tu te régaleras, je t'assure. »

À cet instant elle aurait pu le tuer, si elle avait eu des yeux revolver. Elle pensa à l'homme qu'elle aimait, revu la veille pour quelques instants volés, entre deux avions, deux aéroports. Dans le métro, il l'avait caressée par-dessus sa jupe. Sa main s'était posée en propriétaire sur elle et avait trouvé sans hésiter, à travers le tissu, le point précis qui lui ferait fermer les yeux de plaisir. Autour d'eux, les passagers s'agglutinaient, debout, agrippés à la barre métallique qu'eux-mêmes ne tenaient plus que d'une main. Elle avait à son tour pressé le sexe de l'homme entre ses doigts, à travers le pantalon, jusqu'à ce qu'il murmure à son oreille : « Dans trois secondes, je ne serai plus présentable. » Et tandis qu'elle se sentait inondée d'un plaisir fluide comme une source dont elle imaginait la saveur fruitée, elle avait répliqué, sur le même ton égal : « J'espère bien, je le fais pour ça. » Pourquoi ces gestes étaient-ils si enivrants avec cet homme, et les mots du dragueur ibérique si répugnants, si répulsifs ? Son amant aussi la suçait très longtemps, et elle aimait cela jusqu'à enchaîner orgasme sur orgasme, si ce n'est qu'il n'employait jamais ces mots-là. Il lui racontait la lente promenade de sa langue sur son sexe, la façon dont il l'investissait, l'explorait avec une lenteur calculée… Il lui parlait des moiteurs tropicales qu'il découvrait entre ses cuisses et qui le transportaient dans des contrées exotiques, où les siestes crapuleuses se prolongent des après-midi entiers sous la moustiquaire tendue, dans une hygrométrie torride, avec le sourd grondement du tonnerre et le feulement des panthères pour vous isoler du monde. Il lui faisait entrevoir la façon dont ses doigts bientôt seconderaient sa bouche et l'ouvriraient d'abord doucement, puis de plus en plus large, jusqu'à creuser le fond de son ventre… Ses mots susurrés d'une voix qui savait la troubler en lui disant simplement bonjour agaçait chacune de ses fibres et lui arrachait d'incoercibles tremblements.

L'hispanique n'était peut-être pas un amant moins habile. Il se consacrerait sûrement avec beaucoup d'application à tout son corps. En fermant les yeux, en ne se donnant qu'à sa langue et à ses gestes, elle savait qu'elle aurait pu jouir et passer un moment agréable. Le plaisir est une denrée simple. Mais elle ne le désirait pas. Elle ne voyait que ses yeux bovins de convoitise, ses mains dont chaque pore, chaque poil, et jusqu'au contour des doigts pourtant fins lui semblaient désespérément animal. Même son souffle, banal, était devenu irrespirable, avec l'odeur pestilentielle de sa bêtise et la viscosité des mots sortant de ses lèvres comme autant de crapauds. Elle ne pouvait se résoudre à ce qu'il fît partie de la même espèce que l'homme qu'elle aimait. Elle se leva, partit à grandes enjambées.

Il la poursuivit :

« Ce soir, à l'apéritif, même avec votre amie si vous voulez… »

Elle ne répondit pas. Il resta là, planté, regardant ses longues jambes qui s'éloignaient, ses fesses qu'il devinait fermes et rondes et qui lui inspiraient de douloureuses envies, même à vingt mètres. Et tandis que sa verge gonflée cognait tristement contre sa braguette, il crut entendre dans ses oreilles le rire infernal de Severina s'échappant de l'appartement et descendant à toute volée les escaliers qui la menaient vers son amant, vers le vrai homme.

AU PIANO-BAR

Fin juin sur une île grecque. Les boutiques restent ouvertes jusqu'à plus de minuit. La nuit tombe très tard. À dix heures, les feux du soleil sont à peine apaisés, des lueurs orange subsistent dans un ciel de traîne que les plaisanciers scrutent avec inquiétude. Le vent se lèvera-t-il ou non ? Des musiques envahissent le village. Chaque café, chaque restaurant diffuse la sienne, folklorique, techno, classique... et ce curieux mélange qui pourrait être cacophonique ne l'est pas. On passe de l'une à l'autre comme on changerait d'année, de siècle. En douceur, comme tout ce qui se passe ici. À la terrasse d'une taverne, chaises bleues et lampions multicolores, un groupe d'hommes entonne un chant marin. Leurs voix graves font vibrer les femmes présentes, les regards sont plus lourds, des promesses s'ébauchent... Plus tard, après quelques bouteilles de résiné et quelques danses, des ombres furtives s'éloigneront vers la plage, grimperont dans les rochers, trouveront dans une grotte de pierre un abri à d'éphémères étreintes.

Au bout du village, sur une place un peu à l'écart, un pianiste joue du jazz. Il a installé son clavier sur un tréteau, deux enceintes de chaque côté, un ampli pas trop puissant… Ses doigts courent sur le clavier, longs et fins. Doigts de pianiste ou d'assassin ? Au cou gracile d'une jeune fille, il imprimerait ses marques de convoitise, ou d'amour, qui sait ? Il se pencherait sur elle, mordrait la peau fine tout près de l'épaule, vampire délicat qui saurait ne laisser de son passage qu'une légère empreinte des dents. Il a des cheveux bouclés, châtain clair, le teint mat et des yeux presque dorés qui luisent dans la pénombre, l'air d'un étranger à cette planète. Séduisant à en mourir…

La jeune fille s'approche de lui. Elle prend place au premier rang, sur une chaise en métal ouvragé, un de ces mobiliers de jardin qu'on fabriquait dans les années soixante. Un serveur s'approche d'elle, plateau à la main. Elle lui commande un café frappé, moussu, dont elle aspirera l'écume avec une paille. Elle est seule.

Elle porte une robe de coton blanc boutonnée sur le devant, qui moule ses seins et ses fesses. Lorsqu'elle s'est assise, le pianiste l'a vue tirer sur le tissu pour l'empêcher de remonter trop haut sur les cuisses. Alors il a suivi le trajet des doigts et regardé la peau brune et lisse, l'angle sombre tout en haut, sûrement tiède. La jeune fille est seule. Elle sirote le café frappé en écoutant la musique. Le pianiste chante pour elle, *Cry me a river* ou quelque chose de ce genre… elle se souvient bêtement que cet air déchirant a accompagné une publicité télévisée pour des mouchoirs en papier. Quel désastre, quand la musique perd son vrai nom pour devenir « la pub de… ». Elle est partie pour cela. Pour retrouver le vrai nom des œuvres. Également pour renouer avec des sensations primaires : l'eau, le sel sur la peau, le soleil qui brûle, le silence, et le lent déroulement du temps lorsqu'il n'est plus ponctué d'aucune obligation.

L'île grecque est devenu le royaume des secondes étirées à l'infini, un lieu magique qui rend la vie éternelle, sans l'ombre d'un ennui. Elle se laisse envahir par la voix du pianiste, sensuelle, feutrée, dont chaque intonation pénètre en elle et l'émeut. Elle croise les bras, pose les mains à plat sur ses avant-bras qui frissonnent. Le pianiste a vu le geste. Il sait qu'il lui insuffle peu à peu du désir. Elle le regarde, droit dans les yeux. Il ne cille pas, il lui sourit. Un sourire lèvres fermées, discret. Les autres spectateurs applaudissent la musique sans se douter un seul instant du dialogue en train de se nouer.

Le pianiste se penche vers une mallette emplie de partitions. Il en sort une feuille jaunie par le temps, un standard qui swingue gaiement. Il a besoin de relâcher un peu la pression, et puis aussi de voir les doigts de la jeune fille pianoter en rythme sur le dessus de la table, ses pieds accompagner le mouvement, comme s'ils désiraient furieusement danser. Elle hèle le serveur, lui commande un Metaxa. Le pianiste lève les yeux de son clavier, aperçoit le plateau, le verre renflé empli d'alcool. La jeune fille a besoin d'ivresse. Alors il enchaîne avec un morceau où vibrent les basses, pour emplir son ventre. Elle se souvient… Elle a dansé sur cet air avec un homme très convoité. Il y a longtemps, mais elle sent encore sur sa peau les mains de l'homme, la façon dont il s'était collé à elle de toute sa force d'homme, animale, et même son odeur chaude qui l'avait surprise parce qu'elle l'avait aimée tout de suite. D'ordinaire, elle déteste les hommes qui transpirent. Celui-là ne transpirait pas, il dégageait de la chaleur, une fournaise qui lui avait donné l'envie d'y plonger. Ils avaient fait l'amour toute la nuit dans une drôle de chambre prêtée par un ami. La pièce était en travaux, leurs corps s'agitaient sur un lit immense, seul meuble rescapé au milieu des pots de peinture et de vernis. Au matin, elle avait traversé la moitié de la ville en robe du soir, était rentrée chez elle et avait pris une douche. Sous le jet d'eau tiède, elle avait inventorié son corps, suivi à la trace le passage de son amant, enfoncé un doigt dans son vagin : « il était là il y a une heure », retrouvé dans sa bouche la rondeur ferme du gland qu'elle avait aspiré avec tant de gourmandise qu'elle avait entendu l'homme haleter : « Attention ! Ne le mords pas ! » et revécu précisément, en en effleurant le contour encore sensible, sa surprise lorsqu'elle l'avait senti dans son cul où il était entré sans effraction, pour ainsi dire naturellement, sans lui faire mal, sans la gêner. Tout en se rinçant, elle dut même admettre qu'elle en avait joui…

La jeune fille revit cette nuit-là devant le musicien qui perçoit son trouble et s'en imagine l'instigateur. Il n'y tient plus, il prend le micro, annonce en trois langues aux badauds qu'il fait une pause d'une demi-heure et ferme le clavier. La jeune fille regarde sa montre. Elle jette un billet sur la table, pose son verre dessus pour éviter qu'il ne s'envole et se lève. Elle prend la première ruelle à droite de la place, une ruelle très sombre qui mène ensuite à un chemin de terre bordé de roseaux le long duquel elle doit marcher environ cinq cents mètres pour arriver chez elle. C'est un chemin désert qu'elle emprunte chaque soir sans aucune peur. Que pourrait-il lui arriver sur une si petite île où chacun se connaît, où tout étranger animé de mauvaises intentions se trouverait vite repéré, piégé par l'insularité, incapable de fuir après son forfait ? Il n'y a que deux bateaux par jour, et le dernier est déjà parti.

Elle marche donc tranquillement le long de la ruelle. Le pianiste la suit, accélère le pas, la rejoint. Il lui demande dans un anglais approximatif depuis quand elle habite l'île, si elle va loin, si elle est seule… Des banalités. Ils marchent côte à côte, arrivent au petit pont à partir duquel les habitations s'espacent. Il s'arrête, lui explique qu'il doit retourner jouer bientôt, mais qu'il aimerait bien la revoir. Peut-être le lendemain ? Elle n'a pas envie de parler d'avenir avec lui. Elle s'approche, saisit ses mains qu'elle passe autour de son corps à elle. Il sent contre sa paume la petite boîte ronde qu'elle vient de lui glisser. Latex. Une jolie façon de dire oui sans un mot. Elle lui donne deux minutes pour en faire davantage. Il a tout de suite compris, l'entraîne vers le talus qu'ils dévalent en courant. Derrière la première rangée de roseaux, il y a un carré de sable fin miraculeux, comme une plage intérieure. Ils s'y laissent tomber. Le sable est froid en surface, tiède dès qu'on y plonge les doigts. Le pianiste embrasse la jeune fille partout sur le visage, le cou, les cheveux. Ses mains se faufilent, luttent avec les boutons de la robe qui refusent de se laisser faire, puis finissent par céder. Il gobe le bout d'un sein, vite durci entre ses lèvres, cherche à poursuivre son exploration plus bas, mais elle l'en empêche. Elle veut qu'il laisse sa bouche là, sur ses seins si sensibles qu'il lui arrive de jouir lorsqu'une brise ou une vague un peu fraîche les caresse. Entre le bout de ses seins et son sexe se nouent d'électriques connexions qui font onduler son bassin. Le pianiste sent les mains de la jeune fille descendre sur son ventre à lui, explorer ses fesses, revenir plus avant… Elle est toute moite du désir accumulé depuis les premières notes. Il pousse contre elle la verge dure que les doigts de la jeune fille entourent et pressent avec force. Leurs mains se rencontrent autour de la petite boîte. Connexion inévitable, évidente. Puis il la pénètre d'un seul coup, la bouche toujours rivée à un sein, une main agaçant l'autre. Le pianiste est léger, elle remue sous lui sans effort, comme dans un rêve, avec au-dessus de sa tête le ciel étoilé et tout autour d'eux l'odeur des herbes de cette île, de petites fleurs rondes et jaunes comme de minuscules chrysanthèmes qui emmagasinent la chaleur le jour et restituent la nuit leur parfum anisé. Sous son dos, le sable coule comme un frais liquide. Elle enregistre avec une extrême acuité toutes ces sensations d'odeurs, de toucher, ces lumières nocturnes qui irisent sa peau, le va-et-vient du sexe en elle qui va bien profond et la creuse sans hâte, comme s'ils avaient l'éternité pour eux, comme s'il ne devait pas, très bientôt, retourner jouer sur son clavier. Et de cette symphonie sensuelle naît un plaisir si doux, si fort, qu'elle pourrait mourir à la seconde sans en concevoir la moindre amertume. Mais au lieu d'une petite mort, c'est une onde aiguë qui la transperce et la fait se mordre les lèvres pour ne pas crier trop fort, un envol de tout son corps vers cet inconnu qui, à son tour, se met à trembler et gémir et jouit dans un rauque sanglot en s'abattant sur elle comme un oiseau foudroyé.

Au loin, on entend des bouzoukis égrener leur rengaine. Le pianiste lève le poignet gauche, regarde sa montre et murmure : « Bon Dieu, il faut que j'y aille. » Elle le regarde, stupéfaite : « Tu parles français ?

— Je SUIS français. »

Ils éclatent de rire. Elle l'embrasse dans le cou, sur la peau si fine, là où elle a vu dès la première seconde battre une petite veine. Elle lui dit : « Va. Demain je me baigne sur la plage de galets, juste derrière la colline, après la longue plage de sable. » Il l'embrasse tendrement, longuement. Il n'a plus envie de la quitter. Ils remontent sur le chemin, se séparent au petit pont. Elle ne se retourne pas. Lui non plus. Dans les roseaux, des grenouilles coassent comme chaque soir. Ce sont des grenouilles noires, petites comme des jouets, qu'elle trouve parfois le soir sur son escalier, gobant les moustiques attirés par la lampe. La jeune fille écoute ses sandales claquer sur la terre battue du sentier, au rythme des pulsations qui animent encore son sexe. La lune entre deux nuages fait briller les cubes blancs des maisons. Les lauriers-roses déversent leur parfum entêtant. Entre ses jambes nues sourd un filet de plaisir…

ELSA FAIT SON CINÉMA

1968. Paris, quartier Latin. Salle de cinéma de quartier. Intérieur nuit.

La petite poupée de plastique tend son bassin vers la main du photographe, qui la fait osciller et balancer lentement, lentement… Agrippée à son fauteuil, Elsa contemple la scène, observe la poupée faire l'amour dans le vide, mue par la seule volonté de l'homme qui la manipule, et se rend compte avec effroi que son cœur bat à tout rompre. Elle regarde le film, deux heures durant lesquelles chaque scène s'imprime sur sa peau, brûlante. La femme offerte à l'objectif, docile aux ordres du photographe :

« Regarde ! Non, baisse les yeux ! Tends la poitrine. Oui, comme cela, c'est parfait ! Laisse-toi aller ! Remonte ton pull, lentement. Prends tes seins entre tes mains. » Le photographe tourne autour du modèle, clic, clac, son souffle se fait plus court, plus fort, comme un amant sur le point de jouir. Il se concentre sur l'image, la femme n'existe plus. Elle existera plus tard, lorsqu'il l'emmènera au bord de la mer. Scène lumineuse : il porte un pull marin qui le rend plus accessible que ses austères costumes noirs. Tous deux courent sur la plage, il saisit des algues ruisselantes, les passe en riant autour du cou de sa compagne. Collier d'iode et d'embruns. Il l'embrasse, ils sont amoureux. Elsa fixe les yeux de l'acteur, liquides... Un étang sauvage au petit matin, vert glacé. Elle mémorise à vie sa façon de regarder par en dessous, de transpercer l'autre et de rendre noires ses prunelles vertes. Elle est bouleversée par son visage triangulaire, buté, sa voix obstinée qui répète : « Ça va être un gâchis, tu ne peux pas m'aimer, tu vas être malheureuse... » et son envie de lui, fulgurante.

Elsa passe sa main dans le pli de sa jupe portefeuille, glisse un doigt dans son slip, le ressort tout humecté de son désir, qu'elle respire comme une drogue. Dans la pénombre de la salle où ne se sont retrouvés que quelques spectateurs, elle se masturbe tranquillement et jouit plusieurs fois.

1978. Une brasserie ordinaire près de la gare Saint-Lazare. Fin d'été. Intérieur jour.

Elsa retrouve son amour du moment dans ce café bruyant. Il lui caresse les cheveux, lui répète qu'elle est belle, trouve pour elle des mots qu'on ne lui a jamais dits. Cet homme l'émeut. Elle se souvient de leur première nuit, de ses épaules très musclées qui l'avaient étonnée, tant il avait, habillé, une carrure d'adolescent. Elle avait pianoté sur son sexe avec agilité, un sexe brun et courbe comme le tronc d'un palmier battu par les vents, mais dont l'écorce était douce, si douce entre ses lèvres… Il savait la baiser très longtemps, et sa courbure inattendue atteignait en elle des points que nul n'avait encore visités. Alors bien sûr, elle l'aimait. Les femmes sont toujours amoureuses des hommes qui les font jouir. Elle aimait qu'il lui téléphone chaque jour, pour sa voix grave qui l'atteignait au plus profond d'elle-même, comme une caresse très intime. Elle aimait ses pudeurs masculines, qui rendaient tellement précieux ses instants d'abandon. L'homme contempla l'aquarium près de leur table, dans lequel tournoyaient tristement des poissons tropicaux.

« Il fait chaud, dit-il, si on allait voir la mer ? »

C'était aussi pour cela qu'elle en était folle, pour cette capacité à décider de parcourir deux cents kilomètres avec elle comme ça, en trois minutes à Paris, 18 heures, fin d'une journée de travail, stress, bruit, poussière…

« On se lèvera très tôt demain, on sera à l'heure au boulot.

— On ne se couchera pas, répliqua-t-elle, ou plutôt on ne dormira pas. »

Il sourit. Il l'aimait pour cette faculté à entrer dans ses caprices avec humour. Pour son désir en braises, que le moindre souffle attisait. Pour son sourire si tendre qu'il en était ému aux larmes. Il n'avait pas l'habitude d'être amoureux et trouvait cela détonant. Il n'avait plus peur d'être ridicule en l'aimant.

Dans la voiture, elle pose la main sur sa nuque. Il frissonne de la griffure légère des ongles qui parcourent son cou, s'insinuent sous la chemise. Très vite, sa main droite lâche le volant et vient caresser l'intérieur des cuisses d'Elsa. Elle le repousse. « Toi, tu conduis. Occupe-toi de la route. Laisse-moi faire. » Sans même détacher sa ceinture, elle se courbe vers lui, pose sa tête sur ses genoux et commence à le caresser à travers le pantalon, du bout des doigts et des dents. Lorsqu'elle le sent bien dur, elle ouvre tout doucement la fermeture à glissière, tandis qu'il continue de fixer la chaussée avec une attention feinte.

Sa voix grave lui parvient : « Je ne suis pas sûr que la Prévention routière homologue cette manœuvre, mais j'apprécie. » Il retient un sursaut lorsqu'il sent sa bite aspirée dans la bouche chaude d'Elsa, la langue tournoyer autour avec art et la parcourir sans se presser de bas en haut puis de haut en bas, en variant à chaque fois son parcours tandis qu'une main presse ses boules dures et moelleuses et qu'un doigt s'aventure plus loin, là où naissent les ondes vibratoires qui se diffusent dans son bas-ventre. Il est sur le point de jouir quand tout cesse brusquement. Elsa l'a abandonné, arrêtant en même temps ses succions et ses caresses et soufflant du bout des lèvres un courant d'air froid sur sa peau.

Il gémit : « Continue… Pourquoi t'es-tu arrêtée ?

— Pour te frustrer un peu, retarder ton plaisir… »

Elsa se redresse sur son siège, prend la main de son compagnon, la glisse sous sa jupe : « Regarde dans quel état je suis, à peine présentable ! » Elle sent un doigt inquisiteur la pénétrer puis explorer en glissant les lèvres entrouvertes : « Oh ! oh ! mais que voici une jeune fille toute trempée ! N'avez-vous pas honte de vous mettre dans de pareils états ? Cette frénésie mérite un châtiment, ne croyez-vous pas ? » Sans attendre la réponse, il oblique dans un chemin creux, roule quelques dizaines de mètres dans la terre amollie par la pluie des jours précédents. Lorsqu'ils sont invisibles de la route, il coupe le moteur et fait basculer le siège passager sans prévenir, mettant Elsa à la renverse.

« Pose tes pieds sur le pare-brise et écarte-les bien !

— Tu es fou ! Imagine que quelqu'un arrive !

— Un soir de semaine en pleine campagne, sans une maison à l'horizon, ça m'étonnerait. »

Il change de ton, se fait brutal :

« Tu es faite, ma belle, te voilà à ma merci. »

Elsa rentre aussitôt dans le jeu, murmurant d'une toute petite voix :

« Qu'allez-vous me faire, monsieur ? J'ai peur. »

Il répète son ordre :

« Pose tes pieds sur le pare-brise, les jambes bien ouvertes. À présent, écarte ta culotte avec tes doigts. Oui, comme ça, tire bien le tissu, que je voie ton sexe. Il est où, ton vagin ? Montre-le-moi, découvre-le. Putain, je ne vois rien dans cette voiture. »

Il allume le plafonnier et regarde Elsa, la dentelle du slip crispée dans sa main droite et sa main gauche, maladroite, écartant les lèvres du sexe pour mettre à découvert son orifice. Cette vision le fait rebander aussitôt. Avec aucune autre femme il n'a pu jouer ainsi. Toutes se dérobaient, se récriaient ou pire, se moquaient de ses fantasmes. Elsa rentre dans son cinéma sans aucune réticence. À présent, elle le regarde d'un air suppliant, se mordant les lèvres comme une gamine apeurée. On jurerait qu'elle y croit. Il se pose sur elle, écarte sa main et la pénètre d'un seul coup, comme un soudard, allant et venant à une vitesse folle en même temps qu'il lui chuchote à l'oreille : « Tiens, prends, prends encore. Tu sens comme elle est grosse, comme elle est dure ? Et tu aimes ça, petite salope, je suis sûr que tu aimes ça. Allez, dis-le, dis-moi que tu aimes ça ! »

Elsa ne répond pas, malgré la jouissance qu'elle sent arriver au galop et les tremblements qui la saisissent. Il veut jouer ? Qu'il aille au bout du jeu ! Il répète, de plus en plus essoufflé : « Tu ne veux pas répondre, salope, et pourtant tu mouilles, tu mouilles, tu vas bientôt jouir. Allez, dis-moi que tu aimes ça ou tu auras affaire à moi. »

Elle aurait voulu se retenir, jouer jusqu'au bout son rôle de jeune fille violentée, mais le plaisir la submerge par surprise et elle se tord soudain sur le siège de la voiture en hurlant : « Oui, c'est bon, c'est bon, oh oui, je jouis fort ! » en se jetant sans aucune retenue dans les bras de l'homme qui la serre contre lui en jouissant à son tour, le corps secoué de spasmes. Ils restent deux ou trois minutes haletants, pantelants, puis Elsa se redresse, baisse rapidement sa jupe sur ses cuisses.

« C'est toi qui me vantais ce désert champêtre ? Regarde derrière, il y a un tracteur à dix mètres, lumières allumées. Si ça se trouve, il nous observe depuis le début.

— Penses-tu, fait-il en démarrant, je l'aurais aperçu. Toi tu lui tournais le dos, mais moi, j'aurais forcément vu les lumières approcher. » Il les a vues, a deviné dans l'ombre la silhouette du paysan qui les épiait et son plaisir en a été décuplé.

Ils reprennent leur route, en s'amusant du bruit mouillé que font les roues pleines de boue sur le goudron. Elle lui dit que ce « flotch flotch » aura désormais pour elle une connotation d'un érotisme torride : « J'aurais l'air malin quand je mouillerai sur les sentiers de randonnée cet hiver… »

Ils arrivent au bord de la mer alors que la nuit est tombée. Des nuages voilent la lune, laissant filtrer sur la plage une lumière laiteuse. Elsa sort de la voiture, s'avance sur le sable. Brusquement, elle se baisse, délace ses chaussures, retire sa robe :

« Je vais voir si l'eau est bonne. »

Il la regarde s'éloigner en petite culotte sous la pâle clarté du ciel et se déshabille à son tour, complètement, avant de courir à sa poursuite. Elle voit un faune musclé la dépasser, revenir sur ses pas, lui tendre la main et l'entraîner vers les premières vagues. Ensemble, ils plongent dans les flots juste assez frais pour qu'ils en frissonnent. Elsa enlace son compagnon, sent contre son ventre la verge érigée :

« Déjà ? souffle-t-elle, vous ne perdez pas de temps, mon ami ! »

Elle se balance doucement entre ses bras, se laissant porter par l'eau jusqu'à ce que leurs deux sexes soient juste en face l'un de l'autre. Alors elle s'y empale d'un seul coup, qui leur arrache à tous deux un cri de surprise et de plaisir. Puis elle laisse le mouvement des vagues régler le va-et-vient, tantôt si lent que son ventre en éprouve une impatience presque insupportable, tantôt rapide et brutal, avec la sensation que le sexe de son amant cogne jusqu'à son cœur. C'est un orgasme diffus qui se propage en elle par ondes successives, montantes et descendantes, sans qu'elle sache jusqu'où ira l'acmé.

Ensuite, il la serre dans ses bras, ramasse sur un rocher une laminaire ruisselante qu'il lui passe autour du cou. Collier d'iode et d'embruns. Il l'embrasse, ils sont amoureux. Impression fugace d'avoir déjà vécu cette scène. Cette algue séchée, durcie, l'accompagnera quinze ans dans tous ses appartements. Ses amants s'en étonneront : « Qu'est-ce que c'est que cette horreur accrochée au mur ? » Elle leur répondra d'un sourire énigmatique.

À l'hôtel des Falaises, ils se tiennent au chaud sous la couverture, dans le noir. Il a collé son corps contre le sien. Elsa entend sur sa peau battre le cœur de son amant, perçoit le moindre tressaillement de ses muscles, et chacun de ses tressaillements est comme une caresse subtile. Il a posé sa main contre son sexe et la bouge à peine, mais le moindre glissement d'un de ses doigts l'électrise. Leurs yeux grands ouverts se fixent, seules lueurs dans l'obscurité. Le monde extérieur disparaît dans cette seconde hors du temps ordinaire. L'homme respire profondément, son torse vient tout contre les seins d'Elsa, il bouge – peut-être inconsciemment – l'extrémité de son index, et Elsa jouit avec une violence si inattendue qu'il l'entend hurler :

« Jacques… je t'aime ! »

Affolé, il lui pose aussitôt la main sur la bouche, comme pour contenir ces mots qui l'effraient et qu'elle n'avait jamais prononcés jusqu'alors pour lui.

1988. Un restaurant enfumé. Terrasse fermée donnant sur une avenue passante. Intérieur jour.

L'homme s'incline devant Elsa :

« Puis-je m'asseoir à votre table ? Il y a tant de monde, c'est la seule place qu'on m'ait proposée. » Elle accepte, continue de manger la salade niçoise que vient de lui apporter le serveur. L'homme essaie d'engager la conversation, elle lève des yeux polis vers lui. Il a un regard vert liquide de myope, comme un étang embrumé certains matins d'hiver. Depuis vingt ans, elle n'y a jamais résisté, sans trop savoir pourquoi. L'homme la regarde par en dessous, il a l'art de rendre noires ses prunelles lorsque la discussion s'anime. Elle note sa peau mate, sûrement très douce, son visage triangulaire, une nervosité gauche dans les gestes et la voix. Bien sûr, il lui offre un café et un alcool en fin de repas. Lui propose de faire quelques pas dans le jardin public voisin, dont les allées immenses sont le plus souvent désertes. Ils marchent en silence, elle le regarde à la dérobée en se demandant pourquoi cet homme lui est si familier. À un croisement bordé de tilleuls, il se tourne brusquement vers elle, l'adosse contre un tronc d'arbre et l'embrasse. Son baiser est parfait. Ils marchent encore quelques pas, puis s'enlacent à nouveau. Il sait prendre ses lèvres juste comme il faut, s'y promener avec sensualité, sans gloutonnerie. Sa langue est curieuse, hardie mais fine. Elsa déteste les baisers trop mouillés, les langues visqueuses et molles qui lui donnent l'impression d'être débarbouillée comme un jeune chiot par une mère bouledogue, ou pire, celles qui s'insinuent dans le creux de son oreille, parce que ces messieurs ont lu quelque part qu'il s'agit d'une zone érogène… C'est au premier baiser qu'Elsa anticipe son désir. Avec cet homme, elle se sait déjà perdue, éperdue. Il l'embrasse une troisième fois, puis appuie sa tête contre la sienne en murmurant :

« Non, il ne faut pas ! Je vais t'aimer, on va s'aimer et tu seras malheureuse. Il y a quelque chose en moi qui ne peut pas… »

Elsa rit de sa peur, lui oppose son désir joyeux. Elle lui prend la main, la guide. Ils se posent sur un bout de pelouse déserte. Avec un air concentré, l'homme la caresse à travers sa culotte, si habilement qu'elle en tremble en quelques secondes. Il lui donne rendez-vous pour le lendemain. Ils feront l'amour quatre ans, tous les jours, parfois cinq fois le même jour, heureux, désespérés, amoureux puis hostiles, mais jamais indifférents.

Certaines nuits, Elsa se réveillait, regardait cet homme dormir. Son visage était tourné sur le côté, elle en détaillait les traits, émerveillée de le trouver si troublant. Il rêvait d'elle, et dans son rêve la voyait accoudée au balcon, regardant les passants cinq étages plus bas. « Et pendant qu'ils travaillent, nous faisons l'amour ! » Elle adorait cette idée. Son cul en frémissait de malice. Il contemplait la courbure de ses reins, la lumière rasante sur le fin duvet qui veloutait ses fesses. Toujours en rêve, il se levait et s'approchait à pas de loup pour la pénétrer par-derrière, presque au vu des passants si d'aventure ils avaient levé les yeux vers la fenêtre. Elsa regardait son amant s'agiter dans son sommeil. Il bandait fort. Sa verge n'était pas très grande mais toute ronde et légèrement renflée au milieu. Dans le silence de la chambre, elle enfourchait l'homme et descendait lentement s'amarrer sur sa bite. Elle levait les bras, écartait les genoux, décollait ses fesses de quelques centimètres, juste au-dessus de lui. Elle restait ancrée à lui par ce seul point d'amarrage, brûlant, sur lequel elle montait et descendait avec une lenteur qui exaspérait son désir. Son corps tout entier lui semblait sur le point d'exploser.

1998. Salle de séjour. Intérieur jour.

Après des années de vaines recherches, Elsa a déniché la cassette du film : « Une chance, remarque le vendeur, j'en avais une seule, bien poussiéreuse, au fond d'un placard. Personne ne connaît ça. Ce n'était d'ailleurs pas le meilleur Clouzot. »

Elsa retrouve sur les images vieilles de trente ans la course des amants sur la plage, l'algue autour du cou, la voix butée de celui qui avait si peur d'aimer… Elle y retrouve sa vie. Elle appuie sur le bouton d'avance rapide pour savoir la fin, qu'elle a oubliée. À la fin, l'héroïne a un accident. Elle meurt, peut-être. On ne sait pas. Elle peut aussi s'en tirer. Elsa sourit. On croit souvent mourir d'amour, mais on survit généralement.

TRACES DE VOUS

Vous êtes un homme rare. Stupidement rare lorsque vos longues absences me donnent à penser que vous devenez un être virtuel, une illusion ou pire : un souvenir. Voluptueusement rare lorsque des traces de vous sur moi réveillent mon désir en des lieux incongrus. Longtemps après l'amour, nos vibrations communes continuent de s'étendre, comme les ondes créées par un caillou jeté au milieu d'un étang s'élargissent et s'amplifient, jusqu'à former une vague sur le rivage. Ne dit-on pas qu'une petite cuillère agitée dans l'océan Pacifique côté Est peut provoquer une tempête côté Ouest ?

Tempête exquise, quand je vous retrouve sur les plantes que je respire dont les essences ont votre parfum. Plaisir délicieux, en épluchant un fruit, de revoir les gestes de vos mains occupées à en disséquer un autre. Je me souviens avoir été émue du soin que vous y mettiez, ce soin tout aussi minutieux dont vous faites preuve lorsque vous posez les doigts sur mon ventre en vous y immobilisant quelques secondes qui me semblent des siècles, durant lesquelles j'anticipe la caresse à venir tandis que vous enregistrez la tiédeur de ma peau, l'amorce d'un frémissement, et l'accélération des battements de mon cœur. Je pense alors au point mort que fait un avion avant de décoller, ces secondes tendues où il faut tout vérifier, suspense indispensable pour qu'enfin rugissent les réacteurs et s'arrache l'énorme carlingue à la réalité. De ces secondes où vous savez patienter et me faire patienter dépend la violence de mon envol…

Étonnement de sentir votre présence dans les silences qui peuplent ma solitude, parfois, et de remplir ces silences avec l'écho de votre voix qui me trouble. Revenir plusieurs fois en arrière sur la bande où s'inscrivent vos messages, effacer ceux des autres et archiver les vôtres, même les plus anodins, comme on serrait autrefois dans un tiroir secret les lettres d'amour, du temps où les amants prenaient le temps d'écrire. Dans certaines syllabes, au ton de votre voix, je devine votre sourire et ressens aussitôt l'envie de me poser sur vos lèvres. Je ferme les yeux. Ma bouche a gardé votre empreinte et retrouve votre goût, la douceur de votre langue… Il m'est arrivé de jouir sans même me toucher, simplement en évoquant l'un de vos baisers.

Rassurez-vous, vous n'y êtes pour rien. Je pourrais m'offrir les mêmes voluptés en magnifiant d'autres hommes, mais j'aime l'idée que ce soit vous que j'emmène dans mes rêves les plus intenses, vous qui craignez tant l'intensité. Vous souhaitez que nos relations soient ludiques et légères ? Soit, je me montrerai légère. Je vous tairai mes démesures si vous ne pouvez les comprendre, mais ne comptez pas sur moi pour y renoncer. J'aime trop le risque de vous aimer et la façon dont je dompte cet élan comme on mate un pur-sang, en souhaitant tour à tour le rendre docile ou bien qu'il m'échappe et m'entraîne au-delà des limites admises. J'aime m'aventurer sur cette frontière ténue entre le jeu et le vertige, comme un funambule qui marcherait très haut sur un fil de sucre candi et s'apercevrait qu'il pleut. J'aime l'ivresse du désir que j'ai de vous, et ce rire qui me vient aux lèvres quand après avoir joui de vous – sans vous – je me vois jeter par-dessus mon épaule le verre de cristal qui se brise, tandis qu'un minuscule éclat brillant reste fiché entre mes jambes.

Je me souviens de cette salle de conférences où je vous ai accompagné un jour, sachant que je ne m'y ennuierais pas. De loin, je vous regardais discuter avec d'autres. J'admire votre passion, votre métier, nos discussions animées qui deviennent connivences secrètes lorsque j'en trouve l'écho dans d'austères revues scientifiques. Je dois être la seule femme qu'un exposé de biologie trouble jusqu'au bout du clitoris…

Votre téléphone portable accroché à la ceinture pendait sur votre hanche, comme ceux de vos interlocuteurs. Vous aviez des allures de cow-boy, mais le colt, aujourd'hui, a des touches en guise de gâchette. Tant mieux. Dans ce saloon intellectuel, je me souviens avoir été émue par votre main posée sur le dossier d'une chaise, avoir pensé : « Cette main est aussi celle qui me donne tant et tant de plaisir. » Et de la voir ainsi, à plusieurs mètres de moi, je l'ai découverte semblable et différente, un peu comme on s'éloigne d'un tableau pour mieux en apprécier la composition. Vous me tourniez le dos. J'ai fixé votre nuque de mon regard le plus ardent. Ce laser amoureux a dû vous brûler, car vous vous êtes brusquement retourné. Nos regards se sont croisés et dans la lueur du vôtre, j'ai lu ce que serait notre nuit. D'avance, je vous ai offert mes redditions, et j'espère que vous ne m'en voudrez pas si je vous avoue qu'à compter de cet instant je n'ai plus guère écouté les participants à ce congrès, excepté vous lorsque certaines de vos inflexions s'insinuaient entre mes cuisses, venant titiller des lieux que la morale réprouve mais que le plaisir approuve !

Un autre jour, dans un aéroport bondé où vous attendiez un hypothétique enregistrement, j'ai fixé l'échancrure de votre chemise en concentrant toutes mes pensées et mon désir sur ce triangle de peau que j'aime. Et tout à coup, victoire, votre main a machinalement défait un bouton, puis un autre, comme si vous m'ouvriez mon territoire sans que j'aie à prononcer un seul mot. C'est à cela, et quelques autres jubilations secrètes, que vous devez de coloniser mon cœur.

Oh, bien sûr, il m'arrive de ressentir d'irrésistibles fringales que je vous en veux de ne pas satisfaire. Que n'êtes-vous là pour me réchauffer lorsqu'il fait si froid dehors ? Vite, un homme, des caresses, des jeux coquins pour mettre de la lumière dans un jour trop morne ou trop gris ! Je pars alors en conquête et reviens le sourire aux lèvres, la peau rosie de s'être laissé séduire, un peu, beaucoup… joyeusement. Une chanson de Barbara tourne dans ma tête. *Dis, quand reviendras-tu ?* et son troisième couplet, qu'à seize ans, déjà, je préférais : « *J'irai me réchauffer à un autre soleil… Je ne suis pas de celles qui meurent de chagrin, je n'ai pas la vertu des femmes de marin.* »

Votre rareté m'apprend à cultiver tous les bonheurs, à inventer des kaléidoscopes de plaisirs plus subtils que les habituels scénarios amoureux. Elle m'apprend aussi à tirer profit de la moindre parcelle de vous, à me nourrir d'images minuscules et de sensations ténues, pour les transformer en roboratives jouissances. Les survivants d'une famine sont ceux qui savent tirer toute la substance nutritive d'une bouchée de pain. Je sais aujourd'hui savourer la moindre cellule de votre corps, décortiquer savamment nos plaisirs passés, présents et à venir, et les vivre pour ainsi dire trois fois avec la même gourmandise. J'ai fixé dans ma mémoire des morceaux de vous et les déguste longtemps après votre départ.

Une nuit, mes mains se sont arrondies sur la courbure de vos fesses. J'en ai senti la ferme élasticité et ma paume a frissonné au contact de la peau si douce à cet endroit-là. Mes doigts ont gardé en mémoire l'onde de forme de vos fesses. Désormais, il leur suffit de s'arrondir pour les sentir à nouveau. Les yeux fermés, l'illusion est parfaite. Je peux revivre à volonté cette nuit…

Tu te lèves, tu vérifies l'heure à ta montre, posée sur la table à deux mètres du lit. Ta stature d'homme me plaît, j'en apprécie l'harmonie comme certains architectes éprouvent une plénitude à contempler des ouvrages construits selon le nombre d'or. Je remarque que tu as deux fossettes au creux des reins, de part et d'autre de la colonne vertébrale. « Boit-il assez d'eau ? » et tout de suite après, envie intense de me lever, de poser mes lèvres dans ces creux qui m'émeuvent, les parcourir du bout de la langue en imaginant qu'ils sont plus sensibles que d'autres lieux de ton corps, simplement parce que tu ne les vois pas et qu'ils donnent à ta chute de reins comme un relent d'enfance. Je remarque tes mains carrées, le pouce plus court que les autres doigts, je veux dire plus court qu'on ne l'attendrait à la vue des autres doigts. Tes jambes s'ancrent dans le sol, solides.

Pendant que vous êtes sous la douche, j'écoute le bruit mouillé de vos mains savonnées glissant sur votre corps. J'imagine la mousse plus abondante sous les bras, sur le torse, partout où il y a des poils et bien sûr le sexe moussu que votre main doit empaumer, manipuler, rincer. J'imagine l'eau coulant sur votre peau et la déshabillant peu à peu des bulles blanches de savon. J'aimerais boire cette eau sur vous en commençant par les fontaines des clavicules, descendre le long du fleuve vertébral et me perdre ensuite dans les broussailles, m'enfoncer au creux de vous, vous contourner, vous saisir, puis mêler à l'eau de la douche la salive de ma bouche, ma langue assoiffée et bientôt le goût de votre sperme que j'aime. C'est rare. On peut aimer très fort un homme et détester son goût. Mais lorsqu'on aime l'homme et son goût, on n'est pas loin de la complète reddition…

Je vous imaginais ainsi, quand tout à coup vous êtes sorti de la salle de bains dans une débauche de buée. Tu m'as semblé si beau que j'en suis restée muette, tandis qu'un sourire vertical m'ouvrait le ventre. Seconde lumineuse, onde de bonheur tout chaud, toute chaude... Je t'ai suivi des yeux et ai remarqué une cicatrice, là, quelques rides ici, une courbe incertaine vers les hanches, que mes doigts avaient suivie cette nuit-là, en la caressant... J'ai tout noté, tout mémorisé pour les jours d'après.

Passé quarante ans, le corps des hommes raconte leur histoire, leurs bonheurs et leurs blessures. Je passerais des heures à le décoder, le séquencer, Champollion du désir face à d'intimes hiéroglyphes si brûlants, si forts que je les garde en mémoire pour toujours dès que j'y pose le bout des doigts.

CRAVATE DE RIGUEUR

« Tu es déjà allé dans un de ces endroits ?

— Oui, deux ou trois fois à l'heure du déjeuner.

— Raconte.

— C'est à la fois ordinaire et bizarre. Il y a des couloirs avec des portes ouvrant sur des cabines, et dans chaque cabine, ils passent des films en boucle. Enfin, quand je dis des films... dix minutes de cul brut de décoffrage. Le scénario est réduit à sa plus simple expression. Parfois, les bandes ont tellement servi qu'elles sont rayées... Les images sont floues, tressautantes... mais on devine ce qu'il y a à voir !

— Pourquoi y vas-tu ? »

Philippe se tut un instant, gêné par la question. Nora précisa :

« Attends, je ne te juge pas, je pose simplement la question. Ça m'intéresse de savoir ce qu'un homme comme toi, sain de corps et d'esprit et plutôt intello, va chercher dans ce genre de lieux.

— Difficile à dire. Justement des images brutes, je crois. Tu sais, les hommes ont beau faire les fiers, ils ne sont jamais sûrs d'eux sur le plan sexuel. Alors on va regarder comment font les pros ! Non, je dis des bêtises, c'est plus compliqué… Je crois que je vais chercher là-bas la part de perversion que je ne mettrai jamais dans ma vie.

— C'est-à-dire ?

— J'adore les femmes, j'aime leur faire l'amour tendrement, longuement… et comme elles ont l'air d'apprécier, je suis gagnant. Cela étant, il doit me rester de mon éducation religieuse l'idée que le plaisir est un péché, quelque chose de sale qui me pousse parfois à me plonger dans du sexe sordide, avec des images de soudard pénétrant brutalement des femmes putassières. C'est ce que je vais chercher dans les cabines. Ces films m'excitent et me culpabilisent, comme un bon catho que je suis ! Et puis ça m'intéresse de voir la tête des clients.

— Ils sont comment ?

— Comme toi et moi. Enfin, comme moi, vu que je n'y ai jamais rencontré de femme. Des types autour de la cinquantaine, genre cadres grisonnants bien convenables, et des jeunes souvent black ou beurs. »

Nora tourna la cuillère dans son verre de lait-grenadine en regardant les deux liquides se mêler jusqu'à devenir d'un rose ardent. Elle but quelques gorgées, s'essuya les lèvres et se tourna vers son ami :

« Ça te dirait qu'on y aille ensemble, une fois ? J'aimerais bien voir, mais je ne veux pas être seule. »

Deux jours avant le rendez-vous, Philippe appela Nora.

« Tu es toujours d'accord ?

— Bien sûr. Pourquoi ?

— Tu aurais pu changer d'avis. Je voulais te dire… Il est possible que des clients se montrent un peu collants. Ils n'ont pas l'habitude de voir des femmes là-bas. Et comme ils sont excités…

— J'y ai pensé. Je compte sur toi pour me protéger ! Non, je plaisante. Je ressortirai tout de suite si un seul m'embête. J'aime autant te prévenir aussi : il est possible que j'aie envie de gerber au bout de cinq minutes. Tu ne m'en voudras pas si je te demande de partir ? »

Ils se retrouvèrent à midi et demi un jour de printemps lumineux. Il faisait très doux. Nora portait une jupe longue, une veste cintrée sur un chemisier de soie grège et un petit cartable de cuir noir.

« Quelle élégance ! souffla Philippe. On ne dirait pas que madame va s'encanailler !

— Primo, j'arrive du boulot. Deuzio, je pense que cette tenue est ma meilleure protection. Je pars du principe qu'on tient les gens à distance en émettant des ondes qui les impressionnent. Aujourd'hui, ajouta-t-elle comiquement, je suis bardée d'ondes glaciales… Et puis arrête de te moquer. Tu as vu ton costume de cadre ? »

Ils poussèrent le rideau de plastique qui masquait aux passants l'intérieur du sex-shop. Dedans, il y avait peu de monde, une demi-douzaine d'hommes désœuvrés jetant un coup d'œil furtif sur les jaquettes des cassettes pornos, avec l'air de s'être trompés de boutique.

Le tenancier du lieu semblait le seul homme vivant. Souriant au comptoir, il feuilletait *L'Équipe* en écoutant la radio. Nora lui demanda deux entrées pour les cabines. « La porte au fond, indiqua-t-il. Ensuite, vous verrez les panneaux. » Il la suivit des yeux tandis qu'elle s'éloignait au bras de Philippe. « Beau brin de fille, se dit-il, ça change des clients habituels… » Puis il reprit le compte rendu du match de la veille.

Les couloirs étaient sombres. Peinture écaillée, moquette tachée, portes délabrées. Nora se demanda si cette ambiance interlope était due à la vétusté des lieux, ou bien volontaire, pour plonger le client dans un malaise un peu coupable et donc excitant. Au son, elle se dirigea vers un poste de télévision grand écran, où une fille aux seins siliconés suçait une bite grand format en roulant des yeux exorbités, tandis que des hurlements de plaisir s'échappaient d'un haut-parleur.

« Je ne comprends pas comment elle peut crier avec un morceau pareil dans la bouche, murmura Nora à l'oreille de Philippe. Moi, je m'étoufferais.

— Le son et les images ne sont pas synchrones. Tu entends la bande-son d'un film qui passe dans un autre couloir. C'est le problème : avec trente projections simultanées, ils sont obligés de couper le son sur au moins vingt films, sinon ce serait cacophonique. »

Nora continua d'avancer jusqu'à un embranchement où des panneaux indiquaient : « Lesbiennes », « Homosexuels » « Sado-maso », « Orgies », « Zoophilie ».

Elle chuchota : « Dans la rubrique "couples", ils n'ont rien ?

— Ça m'étonnerait, les clients l'ont déjà à la maison ! »

Elle entra dans une cabine, à la rubrique « Orgies ». Un jeune homme regardait déjà le film, vautré dans l'unique fauteuil. Nora resta debout derrière lui. La bande vidéo montrait une Noire aux cuisses superbes en train de se faire lécher par une femme tout aussi sculpturale, dont les fesses dressées étaient forcées – avec peine – par un colosse surréalistement membré. Nora jeta un coup d'œil à Philippe. Il bandait. Elle s'en amusa : jusqu'ici, leur fraternelle amitié ne lui avait jamais donné l'occasion de le voir comme un être sexué. Dans le fauteuil, le jeune homme avait sorti sa verge et se masturbait frénétiquement, sans grand espoir de rivaliser avec les dimensions du colosse. Nora l'observa : elle aimait regarder les hommes se donner du plaisir, pour savoir quelles caresses les faisaient jouir. À l'écran, le sexe énorme du Noir était enfoncé jusqu'à la garde dans le cul de l'actrice. Nora en fut troublée, surtout à cause du gros plan qui faisait de cette pénétration quelque chose de dantesque, d'une sauvage puissance, en harmonie avec les muscles impressionnants de l'homme, dont la peau brune semblait huilée. Nora sortit sans bruit de la cabine, suivie par Philippe, et lui demanda ce qui l'avait le plus excité. « Le fait qu'il y ait deux femmes pour un homme, dit-il sans hésiter. J'en rêve depuis toujours. » Elle sourit, il l'interrogea : « Tu l'as déjà fait ?

— Oui, mais je préfère l'inverse : deux hommes pour moi toute seule. C'est narcissiquement plus satisfaisant et géométriquement plus logique. Avec deux femmes pour un homme, il y a toujours des temps morts, surtout que je ne suis pas lesbienne. »

Philippe lui lança un long regard : il était toujours surpris du naturel avec lequel Nora parlait de ces choses… Un jour, elle lui avait expliqué qu'elle n'aimait pas sexuellement les femmes. Il l'avait provoquée : « Comment peux-tu l'affirmer sans avoir essayé ? » Elle avait répliqué sans se troubler : « Mais J'AI essayé ! Je ne dis jamais que je n'aime pas sans avoir essayé. »

Dans les couloirs, du monde était arrivé. Pause-déjeuner de 13 heures. Des hommes en costume rasaient les murs et rentraient dans des cabines, d'où ils ressortaient le teint plus rouge, la respiration saccadée. Ils croisaient Nora et lui jetaient des regards curieux, mais pas un n'avait esquissé le moindre geste graveleux. Tout à coup elle sursauta, saisit Philippe par le bras et lui glissa à l'oreille :

« Le type qui vient de passer, juste devant nous… c'est le chef du service des urgences psy. Tu sais, celui qu'on surnomme "Cravate de rigueur" parce qu'on ne l'a jamais vu sans, même par 40 degrés à l'ombre.

— Tu en es sûre ?

— Certaine. Je me demande s'il m'a vue. Fuyons dans une cabine. »

Elle poussa une porte au hasard. L'endroit était vide. Philippe lui proposa de s'asseoir sur ses genoux, dans l'unique fauteuil. Elle refusa. Il resta debout lui aussi, devant une scène de domination d'un classicisme navrant : une femme brune masquée, juchée sur des bottes à hauts talons, brandissait une cravache sous les yeux effarés d'un petit homme ventripotent dont le sexe, lamentable, tressautait sans arriver à

prendre forme. De plus, l'image était floue, abîmée…
Nora s'approcha de l'écran :

« Tu sais pourquoi c'est flou ?

— Non.

— Parce que les types éjaculent sur l'écran. Vise un peu les traînées. C'est carrément crade ! »

Elle voulut sortir de la cabine, se heurta à un homme debout à contre-jour, qu'elle prit pour Philippe « Tu viens ? On s'en va… » Elle s'excusa rapidement en s'apercevant de sa méprise. Ce faisant, elle sut que la frontière invisible qu'elle avait maintenue entre les clients et elle depuis le début venait de disparaître, du seul fait de sa voix s'adressant à l'un d'eux. Elle voulut en avoir le cœur net, gagna une autre cabine dans laquelle Philippe venait d'entrer et resta dans l'embrasure de la porte. Les images – une fille blonde prise devant et derrière simultanément – n'avaient rien de plus original que les précédentes. Nora s'immobilisa, aux aguets. Elle sentit bientôt quelqu'un s'appuyer contre son dos, et un sexe dur effleurer sa jupe, puis se faire plus insistant. Elle tapa sur l'épaule de Philippe, impérieuse :

« Viens, on part. Tout de suite. »

En se retournant, elle vérifia : l'homme qui l'avait approchée était bien celui auprès de qui elle s'était excusée. Philippe et Nora remontèrent rapidement à l'air libre. Elle lui expliqua la raison de leur départ précipité. Il s'en étonna :

« Ça ne t'a pas excitée d'être touchée par un inconnu ?

— Pas le moins du monde, j'ai horreur des familiarités ! » Il se dit qu'il abordait un sujet sensible…

Dehors, le temps était toujours aussi radieux. Tous deux s'attablèrent à une terrasse pour boire un café, avec le soulagement d'explorateurs revenus d'une contrée hostile.

« Alors, heureuse ? questionna Philippe en riant.

— Tout à fait. Je voulais voir ce genre d'endroit, j'ai vu. Ce n'est pas franchement ma tasse de thé, mais au moins j'ai découvert que c'est celle de mon vénéré patron... Elle regarda sa montre : ... qu'il faut d'ailleurs que j'aille retrouver. »

« Cravate de rigueur » dirigeait son service avec une efficacité que Nora appréciait, même si, comme ses collègues, elle déplorait que cet homme n'eût jamais l'air de reconnaître les efforts déployés par le personnel pour faire face aux heures d'affluence et à la nervosité croissante des malades, qui prenaient la clinique pour un prétoire ou un refuge à leur misère morale. Aussi fut-elle surprise lorsque, en fin de journée, le médecin lui demanda de venir un instant dans son bureau.

« La journée n'a pas été trop dure ? demanda-t-il.

— Pas plus que d'habitude. Au printemps, les gens sont nerveux, mais heureusement le beau temps leur fait du bien, ça compense. Aucun cas dramatique à signaler. »

« Cravate de rigueur » laissa passer un silence, tout en griffonnant des arabesques sur la couverture d'un grand cahier. Puis il leva les yeux :

« Dites-moi, Nora... Vous êtes intéressée par les choses du sexe, n'est-ce pas ?

— Comme vous, monsieur, fit-elle sans se démonter. Comme tout être humain, je pense.

— Ne croyez pas cela. Vous ne pouvez pas imaginer le nombre de gens qui n'y songent même plus. Ils fournissent une bonne part des bataillons que nous soignons ici. Je voulais vous demander : êtes-vous déjà allée dans un club privé ? Vous savez, un de ces endroits où les couples se rencontrent…

— Non, jamais.

— Cela vous tente ?

— Je ne sais pas, je n'y ai jamais pensé. Ce sont des endroits très chers et…

— Je comprends. Écoutez, Nora, j'ai une faveur à vous demander : accepteriez-vous de m'y accompagner un soir ? Par simple curiosité, je vous rassure tout de suite. Je pense que je comprendrai mieux les troubles de certains malades en allant explorer cette face de leur vie. Le problème est qu'on n'accepte que les couples dans ces clubs, et ce n'est pas du tout le genre de mon épouse. »

Il se reprit aussitôt :

« Je ne veux pas dire que vous ayez un genre particulier, Nora, je vous estime beaucoup, mais là où je vous ai aperçue à midi, je ne rencontrerai jamais mon épouse. »

Le chef de clinique transpirait légèrement. D'excitation ou de chaleur ? Dans l'établissement, il était réputé pour aimer les femmes, mais en trois ans, Nora n'avait jamais eu le moindre problème avec lui. Elle pensa qu'elle risquait davantage en refusant sa proposition qu'en l'acceptant. Sous conditions.

« Je veux bien vous accompagner si vous me promettez qu'on ne me forcera à rien. Je me contenterai de regarder. »

Il éclata de rire :

« Mais bien sûr, mon enfant ! Ce sont des droits très sélects où il n'est pas question de contraindre qui que ce soit, je vous le garantis. Merci d'accepter. À demain. »

Il lui donna rendez-vous le vendredi suivant à 21 heures, place de la Concorde, devant l'hôtel Crillon. Ils prirent un taxi. Durant le trajet, « Cravate de rigueur » interrogea Nora sur son travail et lui demanda si elle était mariée. « Vous avez un enfant, je crois ? – Un fils de vingt ans, que j'élève seule. » Bien sûr, il s'exclama qu'elle n'avait pas du tout l'air d'être la mère d'un jeune homme de vingt ans : « Vous faites si jeune ! J'ai l'impression que je pourrais être votre père. »

La porte du club était fermée à clé. Le médecin sonna. Comme dans un confessionnal, un visage apparut à travers un grillage situé en haut de la porte : « J'ai réservé une table pour deux au nom de Leroy. »

Nora sourit en constatant que son patron avait réservé sous un faux nom. Ils gravirent un escalier recouvert d'un tapis rouge et arrivèrent dans une salle à manger plutôt cosy. Quatre tables étaient occupées par des convives d'âge mûr. Une femme, surtout, attira l'attention de Nora. Son visage était beau, lisse, mais la peau du cou fripée et un je-ne-sais-quoi d'affaissé dans l'ovale du visage trahissaient son âge. Elle portait une robe longue en lamé or, largement fendue sur les côtés.

« Cette femme a des jambes magnifiques, murmura "Cravate de rigueur" à Nora. Et pourtant elle n'est pas jeune.

— Qu'est-ce qu'elle vient faire dans un endroit pareil ?

— Un ami m'a expliqué qu'il s'agit d'habitués. Les gens ont commencé à venir ici dans les années soixante-dix, et ces soixante-huitards sont restés fidèles à ce lieu où ils ont vécu la grande époque de la libération sexuelle. C'est devenu une véritable institution. Vous avez vu le panneau à l'entrée : chacun doit respecter les désirs de chacun, les rapports doivent être protégés… C'est un lieu de libertinage très haut de gamme. Il paraît qu'il existe de nouveaux clubs, plus jeunes, mais j'avoue que je préfère une valeur sûre comme celui-ci. »

Nora regardait autour d'elle, curieuse. Les convives découpaient leur gigot avec distinction, et leurs conversations, dont elle saisissait quelques bribes, n'auraient pas déparé une salle de restaurant classique. Ils parlaient de vacances, de placements, d'une pièce de théâtre. Une seule fois, la femme en robe de lamé se pencha et murmura quelques mots à l'oreille d'un des convives qui s'exclama : « Arrêtez, vous allez me faire rougir ! » La femme éclata de rire. À une autre table, un couple d'amoureux tout de blanc vêtus s'embrassaient tendrement. Ils devaient avoir autour de la trentaine et ressemblaient à des personnages de comédie italienne.

En fin de repas, « Cravate de rigueur » proposa à Nora de visiter les lieux : « Il y a de petites salles où les gens peuvent s'isoler. Voulez-vous que nous allions voir ? » Certains convives avaient déjà quitté la salle à manger, d'autres clients venaient d'arriver et se dirigeaient vers les couloirs, un verre à la main, l'autre main caressant le dos largement dénudé de leur compagne.

Nora mit quelques minutes à s'habituer à la pénombre. Elle pensa à son escapade avec Philippe et se demanda si le sexe sélect serait très différent des vidéos sordides. « Cravate de rigueur » avançait devant elle. Tout à coup il s'immobilisa, lui prit la main : « Regardez, souffla-t-il. » Le couloir ouvrait sur un boudoir meublé d'un canapé de velours sombre. Deux hommes y étaient installés, braguettes ouvertes. Deux femmes en robe du soir, agenouillées sur la moquette, étaient penchées sur eux. Nora, ébahie, les regardait sucer les deux hommes avec une application étonnante. Leurs lèvres s'arrondissaient autour des sexes, les serraient fort et pompaient bien en rythme, puis leurs langues apparaissaient, dardées comme des têtes de serpent, frétillant sur les glands… C'était comme dans les films, si ce n'est que là, elles étaient à deux mètres.

« Qu'en pensez-vous ? chuchota "Cravate de rigueur".

— Je trouve ça étonnant. Pourquoi viennent-elles le faire ici ?

— Pour être vues, je pense. Ces femmes aiment qu'on les regarde.

— Alors elles pourraient y mettre plus d'enthousiasme ! Elles ont la pipe laborieuse, comme si elles bossaient ! Et leurs mecs, pareil : on dirait qu'ils s'ennuient.

— Mais non, regardez, ils vont jouir. »

Les deux hommes, au même instant, avaient retiré leur verge de la bouche de leur compagne et la secouaient rapidement pour se finir. Ils éjaculèrent en même temps, avec un borborygme satisfait. Nora se tourna vers son patron : il semblait fasciné, le teint congestionné. Elle retira sa main qu'il avait gardée dans la sienne et serrait nerveusement.

« Vous m'excuserez, monsieur, mais je ne trouve pas ça érotique du tout. Il n'y a aucun trouble, aucun désir…

— Mais la transgression, Nora, la transgression ! Faire ça en public, c'est forcément excitant !

— Peut-être pour vous. Pas pour moi.

— Avez-vous déjà fait l'amour en public ?

— Évidemment. Et je n'y ai pas trouvé mon compte. »

« Cravate de rigueur » fixa longuement Nora. Il lui prit le menton, la força à le regarder en face : « Vous êtes une drôle de petite bonne femme. J'ai l'impression que vous avez expérimenté tant de choses qu'il devient difficile de vous surprendre. Allons voir une autre exhibition, et puis si vous en avez assez, nous partirons. »

Ils traversèrent à nouveau la salle à manger, à présent déserte, puis gagnèrent une pièce ronde bordée de banquettes moelleuses tout le long du mur. Des couples s'y alanguissaient dans une ambiance doucement tamisée, plus chaleureuse que celle des couloirs. « Cravate de rigueur » alla vers le bar et revint avec deux coupes de champagne.

« À notre soirée, Nora ! »

Ils choquèrent leurs verres et burent une gorgée glacée. Juste à côté d'elle, Nora reconnut le jeune couple d'amoureux. L'homme était très beau, mince et musclé, avec des boucles brunes d'éphèbe et deux rides charmantes de part et d'autre de sa bouche, comme un éternel sourire. Leurs tenues blanches se détachaient sur le velours bordeaux des banquettes. Il avait relevé la jupe courte de sa compagne et lui embrassait tout doucement l'intérieur des cuisses. Elle gémissait, les yeux fermés, toute à son plaisir. Nora en fut émue. Elle s'approcha du couple, effleura les seins de la jeune femme, qui ouvrit les yeux :

« Je suis désolée, seul mon ami peut me toucher.

— Je comprends. Permettez-vous que je vous regarde ? »

La jeune femme sourit :

« Bien sûr. Je viens pour ça. »

Nora la regarda allonger les jambes pour que son compagnon puisse lui enlever plus commodément sa culotte. Elle s'approcha pour contempler les poils bruns dans lesquels l'homme fouillait d'une main d'abord douce, puis impérieuse, presque brutale qui arrachait des gémissements à la jeune femme. Nora avait l'impression de se voir, et était enfin troublée. Comme dans un rêve, elle sentit une main relever sa jupe, entendit la voix de « Cravate de rigueur » :

« Vous permettez, Nora ? »

Elle n'acquiesça pas, se contentant de le laisser faire. Alors, tandis que le jeune homme bouclé se redressait, ouvrait son pantalon et en extrayait un sexe long et dur, « Cravate de rigueur » se baissa et enfouit sa tête entre les cuisses de Nora. D'une seule poussée, le jeune homme pénétra sa compagne, qui aussitôt enroula ses jambes autour de lui, levant les hanches à sa rencontre, tandis que Nora sentait la langue l'explorer avec habileté, la petite décharge électrique chaque fois qu'elle touchait son clitoris, décharge suivie d'un frisson qui montait jusqu'à sa nuque et redescendait ensuite le long de son dos comme une tumultueuse cascade, jusqu'à son ventre. La jeune femme se faisait baiser de plus en plus fort et Nora ne la quittait pas des yeux, excitée par ce spectacle à quinze centimètres d'elle et par l'idée, jubilatoire, que l'homme qui la suçait et allait peut-être la faire jouir était son patron. Elle l'avait en son pouvoir, elle se sentait reine du monde. Le jeune homme accéléra son rythme, sa compagne haletait, éperdue... Nora lui prit tendrement la main. Au même instant « Cravate de rigueur » dessina un grand huit avec sa langue, une vraie figure de patinage artistique si réussie qu'elle tétanisa Nora sur sa banquette dans un orgasme bref mais intense juste au moment où la jeune femme en blanc jouit.

Alors Nora rabaissa sa jupe, se peigna machinalement avec ses doigts et se redressa sur la banquette. « Cravate de rigueur » réapparut à la surface. Nora lui saisit la main :

« Merci. »

Il en fut bouleversé. Les femmes qu'ils fréquentaient ne lui disaient jamais merci. Elles tombaient amoureuses et devenaient exigeantes, ou restaient murées dans un égoïste plaisir. Il eut une réaction parfaite :

« Voulez-vous boire quelque chose ?

« — Volontiers. Allons au bar. »

Tous deux s'assirent sur les hauts tabourets. Il commanda deux autres coupes, et ils trinquèrent en silence. Puis il lui prit la main, l'embrassa légèrement sur les lèvres :

« Je t'adore. »

Elle faillit en lâcher sa coupe. Son patron l'adorait parce qu'il lui avait sucé le sexe ! Comme si c'était plus important que leurs trois années pannées à travailler ensemble ! Elle se raidit, ne répondit pas. Il ne se douta de rien.

Il l'appela trois jours plus tard dans son service :

« Bonjour Nora. J'ai trouvé une nouvelle adresse pour une petite soirée. Quel jour serais-tu libre ?

— Je suis navrée, monsieur, fit-elle froidement, nous avons dû mal nous comprendre. Je vous ai accompagnée, sur votre demande, à une soirée d'observation pour mieux cerner les troubles de certains patients. Le contrat est rempli, je ne pense pas qu'une deuxième visite s'impose. »

« Cravate de rigueur » eut l'impression de perdre pied. Il insista :

« Que se passe-t-il ? Tu as pourtant eu l'air d'aimer, l'autre soir ?

— Ce n'était pas désagréable.

— Mais alors ?

— Alors rien. »

Il essaya plusieurs fois d'en savoir plus, en vain. Comment lui expliquer cette chose absurde : Nora ne supportait pas qu'on la tutoie sans y avoir été autorisé.

LA ZAPPEUSE

Elle n'aime pas regarder le film X du samedi soir. Trop tard, trop long, trop monotone. Alors elle l'enregistre. Déjà, programmer la cassette l'excite. Elle se relève pour le faire alors que son mari dort déjà. Pieds nus, en prenant garde à ne pas faire craquer les marches en bois, elle descend dans le séjour, consulte les horaires et se demande à chaque fois, lorsque le film passe un samedi à minuit, si elle doit programmer le magnétoscope sur le samedi ou le dimanche. Par sécurité, elle le programme le samedi un peu avant minuit, quitte à avoir la publicité sur la cassette. Le bruit des touches qui s'enclenchent lui semble un vrai vacarme. Le chat tigré assoupi sur le canapé ouvre les yeux, vient se frotter à ses jambes. Elle sursaute, se retourne, craignant de voir apparaître le mari dans l'escalier. « Que fais-tu debout à cette heure-ci ? » demanderait-il. Elle ne saurait que répondre, prétexterait une soif incongrue, ou l'envie de vérifier si les enfants avaient bien éteint la télévision : « Tu comprends, ils le laissent en veilleuse, il paraît que ça abîme le poste. »

Elle se redresse après avoir vérifié sur le magnétoscope que tout est correct. Deux ou trois fois, elle s'est trompée dans les manipulations et a obtenu un film crypté. Les images brouillées lui laissaient deviner quelques mouvements, fellation en gros plan ou pénétration d'une verge énorme dans une vulve tout aussi disproportionnée, mais le cryptage la gênait surtout sur le plan sonore : le grésillement qui remplaçait les sons pourtant ineptes la déconcentrait.

Elle remonte se coucher en respirant par la bouche pour faire moins de bruit. Son cœur bat fort. Elle s'allonge contre son mari en prenant garde de ne pas le toucher, car elle a les pieds glacés. Demain matin, avant de réveiller les enfants, elle ira vite retirer la cassette de l'appareil.

Le meilleur moment pour la visionner est le début d'après-midi, quand le mari est reparti au travail après le déjeuner et les enfants pas encore rentrés de l'école. Elle s'installe sur le canapé, la télécommande à la main. Dehors, elle aperçoit les passants qui s'arrêtent parfois juste sous ses fenêtres pour échanger quelques mots. Elle sait qu'ils ne peuvent pas la voir à travers les voilages, mais cette proximité ajoute à son trouble, comme si un voyeur la regardait en train de faire l'amour. Elle passe rapidement sur certaines images. Les gens se plaignent souvent qu'il n'y a pas d'histoires dans ce genre de film. Un scénario nul, des dialogues indigents, disent-ils. Les hypocrites ! Elle sait bien, elle, qu'on ne confond pas un porno et une histoire d'amour, qu'on le regarde uniquement pour voir en gros plan ce qui se passe entre deux sexes. Quand on fait l'amour, on ne se voit pas faire, et pourtant… Depuis le temps qu'elle s'offre ces pauses coquines, elle est à chaque fois étonnée de voir que ces acteurs si bien pourvus, ces actrices si gloutonnes font exactement les mêmes gestes qu'elle. Enfin, les gestes mêmes qu'elle a souvent envie de faire. Son mari, moins souvent. Il y a dix ans, c'était l'inverse. La nature est mal faite.

Elle commence par visionner en accéléré les quinze premières minutes, puis sélectionne quelques scènes. Ensuite, elle revient en arrière pour les détailler tranquillement. Rocco Sifredi a encore le rôle principal. elle l'aime bien. Il est joli garçon, superbement membré, et prend toujours soin de mignoter ses partenaires. Elle regarde le bel Italien lécher avec zèle la fente rasée d'une blonde à l'air niais. Cela lui fait toujours de l'effet, penser qu'on peut gagner sa vie en se faisant plaisir. La blonde agite la tête de droite à gauche et de gauche à droite, mais elle n'a pas l'air d'apprécier vraiment. On dirait parfois que les gémissements sont rajoutés après coup sur les images, qu'ils ne sont pas synchrones.

Elle repasse la même scène au ralenti. C'est fou ce que ce Rocco est attentif, comme sa langue caresse bien partout. Elle s'imagine à la place de l'actrice. Son sexe s'entrouvre, elle y met les doigts, le sent tout humide, onctueux. Les femmes qui prétendent que les films X ne les intéressent pas devraient faire le test. Au bout de cinq minutes, toutes seraient dans le même état. Un jour, elle a visionné des scènes vraiment nulles, en se répétant froidement à chaque image : « Que c'est laid, mon Dieu, que c'est laid et vulgaire ! » persuadée de ne ressentir aucun trouble. par acquis de conscience elle a vérifié sa moiteur, et a dû convenir que son sexe n'obéissait pas aux mêmes injonctions raisonnables et esthétisantes que son cerveau. Au bout de vingt minutes, par contre, elle en a eu marre et a arrêté la projection. Un film pornographique devient rapidement indigeste, il faut le déguster à petites doses pour ne pas être écœurée, comme on sirote un doigt de Marie Brizard.

Elle imagine l'ambiance du plateau pendant le tournage. Devant des caméras, sous les regards des machinistes, on ne doit pas ressentir la même chose que chez soi, mais est-ce meilleur ou moins bon ? Elle se demande si elle oserait. Non, sûrement pas. Ou alors le visage voilé pour qu'on ne la reconnaisse pas. Qu'elle ne se reconnaisse pas. Elle serait l'héroïne baisée en même temps par trois ou quatre forts en queue, capables de tenir en elle très longtemps. Elle sourit de son fantasme. Si son mari savait…

Elle reprend la télécommande, passe en avance rapide puis stoppe au hasard. À l'écran, Rocco besogne toujours la blonde dans des positions invraisemblables. Il adore le faire debout, leur lever une jambe très haut, les coincer contre un angle de mur. Ou alors, c'est le réalisateur qui impose la position, qu'on voie bien toute la longueur du sexe entrer et sortir en pistonnant avec force, infatigable. Combien d'hommes doivent envier Rocco pour sa vigueur !

Elle, il lui plaît pour sa douceur. Parfois, tout en la baisant, il embrasse sa partenaire sur la bouche ou les paupières. Peu d'acteurs pornos le font. La plupart ont du ventre et de vilaines moustaches, une bite rosâtre un peu écœurante. Rocco a une allure saine et l'air de s'amuser. De temps à autre, joyeux, il donne une tape sur les fesses de la femme qui gémit sous ses coups de boutoir. Elle semble apprécier…

La zappeuse tourne un doigt autour de son clitoris, tout en gardant la télécommande dans l'autre main, à la recherche de scènes qui l'excitent. Les images sur l'écran se télescopent avec ses sensations, elle sent le plaisir monter à toute allure et une onde de plaisir aiguë la vriller, agaçante, parfois toute proche de l'explosion, parfois s'éloignant d'elle jusqu'à ce qu'elle retrouve l'exact point sensible… Elle se caresse de plus en plus rapidement, elle sent que « ça » vient, son souffle la dépasse, elle lâche la télécommande, ferme les yeux et entend une voix qu'elle ne reconnaît pas – sa voix d'orgasme rauque, violente, sauvage, hurler « Oui, oh oui, c'est bon ! » dans le séjour en plein après-midi.

Lumière du soleil sur les rideaux. La zappeuse ouvre les yeux. Son regard encore voilé se pose sur une tapisserie accrochée au mur qu'elle a brodée l'hiver précédent, représentant des rennes dans la neige, et un tableau plus ou moins abstrait acheté dans une brocante. Sur la table, un bouquet de crocus, le premier du printemps. Sur la cheminée, des photos de famille. À l'écran, une brune échevelée se fait double-pénétrer par Rocco et un autre acteur, moins beau mais tout aussi costaud. La zappeuse revient à elle en regardant la scène : ça, elle ne l'a jamais fait. C'est vraiment du porno. Elle se demande si elle aimerait…

Elle se redresse – en jouissant, elle est presque tombée du canapé – arrête la cassette, la retire du magnétoscope et va la ranger soigneusement au fond de l'étagère la plus haute du placard de la cuisine, là où elle entrepose les produits d'entretien dangereux. Elle seule utilise cette étagère.

Puis elle gagne la salle de bains, se lave les mains, se recoiffe et contemple dans le miroir ses yeux qui pétillent. Elle sent sa peau tiède, ses seins plus sensibles et tout fiers…

Tout à l'heure, Alexis rentrera de l'école. La bouche poisseuse de pain aux raisins, il viendra quémander à sa mère un câlin, « juste pour me donner du courage pour faire mes devoirs ». Elle écoutera ses histoires d'écolier, ils bavarderont joyeusement. Le petit garçon remarquera que sa mère a les joues roses – dernières traces du plaisir sur sa peau – et il lui demandera, ingénu : « Maman, comment tu fais pour être la plus jolie des mamans ? »

PLAISIR CHOCOLAT

« Je voudrais qu'on se voie deux heures, pas plus. »
Elle avait prononcé la phrase d'un ton si uni,
presque monocorde, qu'il ne put définir si elle lui
imposait cette limite de temps, ou si elle quémandait
ces deux heures comme une faveur qu'elle s'attendait
à voir refusée. Il accepta le rendez-vous.

Il pleuvait. L'autoroute était giflée de trombes
tourbillonnantes, vent d'ouest venu des côtes et qui
n'avait pas pris le temps de s'apaiser. Elle roulait
toutes vitres fermées. Le pare-brise se couvrait sans
cesse de buée, malgré le chauffage qu'elle avait mis
à fond. Ambiance tropicale en cette fin d'octobre. Sur
le parking, quelques voitures étaient stationnées. Elle
se demanda quel genre de personnes venaient ainsi,
en plein après-midi, dans ce type d'hôtel. Quel genre
à part eux. Avant de connaître cet homme, elle avait
peu fréquenté les hôtels. À présent, il lui semblait
avoir fait le tour de tout ce que la région offrait de
gîtes d'étapes aux voyageurs-représentants-placiers
fatigués.

Il l'attendait dans sa voiture et n'en sortit que lorsqu'elle approcha de la portière gauche. Il n'eut pas un geste tendre, rien qu'un baiser amical sur la joue. Il semblait irréel que ces deux-là fussent amants. Un instant, elle se demanda si elle ne se trompait pas de film… L'instant d'après, elle apprécia la tension que cette distance générait entre eux, tension propice aux débordements les plus torrides. Elle aimait les contrastes.

Ses doigts à lui tremblaient. C'est donc elle qui introduisit sa carte de crédit, fit le code, tapa sur le clavier les instructions nécessaires pour obtenir un numéro de chambre et le sésame pour y entrer. Une pensée traversa son esprit : « Je m'offre un homme. » Elle ne se l'offrait pas, elle payait pour s'offrir.

La chambre était minuscule et fonctionnelle. Propre. Ils enlevèrent le couvre-lit, se réfugièrent sous les couvertures. Sa peau à elle était fraîche, celle de l'homme déjà brûlante. Elle s'y blottit jusqu'à ce que leurs températures devinssent égales. Il avait retrouvé ses doigts qui ne tremblaient plus. Lentement, il prenait possession d'elle, dessinait le contour de ses hanches, glissait ses paumes sur son ventre, retrouvait les exactes caresses qui la faisaient frissonner. Il lui dit : « Aujourd'hui, tu seras une gourmandise. » Elle voulut le caresser à son tour, il écarta ses mains : « Non, tu n'as pas le droit de me toucher. Une gourmandise se laisse manger. » Il lui attacha les poignets aux montants du lit avec une écharpe. Elle aurait pu se détacher très facilement d'un geste, mais ne le fit pas. Elle payait pour qu'il décide.

Il lui écarta doucement les jambes, comme les deux branches d'un compas. Un angle aigu où se posa sa main. Elle sentit les doigts fins l'explorer, tourner délicatement autour de ses points les plus sensibles en prenant garde de ne pas la mener trop vite à la jouissance. Elle eut un soupir plus profond, il s'immobilisa aussitôt : « Non, retiens-toi. Avant de jouir, je veux que tu deviennes onctueuse, j'aime quand ton désir te rend glissante. » Elle s'ouvrait et il lui dit qu'il aimait la voir s'ouvrir, la voir s'offrir. Dans sa tête, elle maria les deux verbes et se dit qu'il aurait aimé la voir souffrir. Un jour, sûrement, il lui demanderait un abandon plus total. Il forait son vagin en cercles inlassables à chaque fois un peu plus larges, comme il aurait creusé un puits d'amour. Lorsqu'il la jugea suffisamment ouverte, il prit dans la poche de son pardessus une boîte en carton, l'ouvrit. « Les sarments du Médoc, tu connais ? » Il introduisit dans son sexe une brindille de chocolat, puis une autre et encore une autre qui pénétrèrent très facilement et ce contact inattendu la troubla. Elle était devenu un objet, un gâteau que ce virtuose artisan décorait à sa guise.

L'extrémité des brindilles de chocolat dépassait d'elle. L'homme lui saisit les jambes, qu'il souleva et posa sur ses épaules, en les remontant le plus haut possible. Puis il inclina la tête vers le sexe de la femme et saisit entre ses lèvres un bout de chocolat, qu'il cassa du bout des dents. Elle sentit ses incisives à ras de la peau, comme une morsure inachevée qui la fit trembler. « Tu es délicieuse, ainsi chocolatée, fit-il. Je vais te déguster avec la langue, jusqu'à ce qu'il n'en reste plus une miette en toi. »

Elle le regarda faire, tandis qu'il l'aspirait et la suçait avec une gourmandise différente de tout ce qu'il lui avait fait jusqu'ici. Sa langue s'activait plus profondément en elle, passait et repassait voluptueusement dans les moindres replis encore sucrés, lui arrachant au passage des tressaillements de plaisir d'une intensité presque douloureuse. Elle le regardait faire, tout occupé à la dévorer, penché sur son sexe comme sur un cornet de glace d'une qualité hors du commun. D'ordinaire, il se branlait tout en la caressant. Là, elle vit qu'il bandait mais semblait avoir oublié son sexe. Il était tout entier dans ce plaisir animal, enfantin, de la savourer comme une gourmandise. Et ce faisant, il se laissait aller à des voluptés de caresses inédites, comme s'il se sentait libéré de n'avoir plus affaire à une femme mais à un jouet. Elle se rappela ses propres plaisirs d'enfant, quand elle tournait la langue autour des boules de glace pour le plaisir de les sculpter en pointe ou d'y creuser des puits, quand elle mordillait le pourtour du cornet en faisant très attention de ne pas en manger trop, quand d'un preste coup de langue elle rattrapait une coulée de crème dégoulinant le long de la pâte croustillante, quand à la fin il fallait aller chercher bien au fond du cornet les dernières gouttes chocolatées…

Il lui faisait subir exactement les mêmes rites, et c'était si bon qu'elle hurla comme jamais lorsqu'il recueillit au fond de son ventre les dernières gouttes mêlées de son plaisir et du chocolat.

TOUTES VOILES TENDUES

« C'est un psychiatre, il est fou, n'y va pas. Tous les psychiatres sont fous. »

Il n'en fallait pas plus pour lui donner envie de rejoindre cet homme rencontré brièvement la veille à un vernissage. Elle se rendit au rendez-vous, il l'attendait, caché derrière les pages déployées d'un journal. Il baissa ce paravent et elle aperçut ses yeux très noirs, son nez étroit, un visage à la peau mate d'un aigu classicisme. Il se leva, l'entraîna dans sa voiture. Coupé de luxe métallisé, odeur de cuir. Il tourna trois fois autour de l'obélisque de la Concorde sans rien dire. Elle se retint de poser la moindre question. Alors elle entendit sa voix calme, unie, presque monocorde :

« Tu n'as pas de soutien-gorge. Défais un bouton de ton chemisier. À chaque tour, tu en déferas un autre. »

Elle portait un chemisier blanc cintré qui s'ouvrit très largement dès le deuxième bouton. Il jeta un coup d'œil à ses seins :

« C'est bien. Je les aime petits. » Il en toucha la pointe, ajouta : « … et sensibles. C'est bien ».

Un camionneur haut juché sur son siège jeta un coup d'œil à l'intérieur de la voiture. Elle s'en aperçut, eut un geste pour refermer le chemisier. L'homme l'en empêcha :

« Au contraire, ouvre-le davantage. »

Elle avait à présent la poitrine entièrement nue offerte aux regards des automobilistes.

« Cela vous gêne ? demanda le psychiatre.

— Oui, bien sûr.

— Alors c'est bien d'avoir osé. »

C'était l'été, un air tiède entrait dans l'habitacle par la vitre avant gauche. Sur ses seins moites de chaleur et d'émotion, la brise faisait naître un frisson.

« À présent, dit l'homme, remonte un peu ta jupe. » Elle refusa, arguant des policiers en faction au carrefour qui risquaient de la voir. Il sourit : « Ils ont déjà vu vos seins… Mais rassurez-vous, je ne vous demanderai pas de vous mettre nue. Je veux juste que vous remontiez un tout petit peu votre jupe pour que je puisse vous caresser. » Elle remarqua qu'il ne la tutoyait que pour lui donner des ordres. Il posa la main sur son sexe et laissa aller ses doigts lentement sur le fin tissu de la culotte. Était-il si habile, ou elle si troublée par cette situation ? Elle jouit très vite, avant même qu'il eût achevé le tour de la place à nouveau. Il enleva sa main, respira ses doigts :

« J'aime votre odeur, elle est douce et sucrée. »

Il l'emmena par de petites rues à travers Paris. Elle avait refermé son chemisier, rapproché ses genoux et ils ressemblaient à présent à n'importe quel couple très convenable rentrant du bureau. Il habitait un bel immeuble dont la façade était truffée de plaques de médecins-psychiatres. Elle plaisanta :

« C'est un nid ! »

Chez lui, une table basse était dressée, avec des bols bordeaux fermés d'un couvercle noir. Il souleva un des couvercles.

« Soupe miso. J'ai fait préparer un dîner japonais. Vous aimez ? »

Elle ne connaissait pas. Il la regarda :

« Quel âge avez-vous ?

— Vingt-trois ans. Et vous ?

— Trente-huit. »

Quelqu'un sonna à la porte. Le psychiatre alla ouvrir et revint accompagné d'un homme grand et mince aux cheveux ondulés, dont elle remarqua tout de suite l'immense regard vert.

« Nicolas, un ancien camarade de faculté.

— Excusez-moi, dit Nicolas, je passais juste dire bonjour, je ne savais pas que tu avais du monde.

— Mais au contraire, dit le psychiatre, nous sommes ravis de te voir. Tu vas rester dîner avec nous. Iroko a préparé une foule de sushis, je sais que tu adores ça. »

Tous trois s'installèrent en tailleur autour de la table. Dîner joyeux, courtois. Les deux amis évoquèrent leurs dernières vacances, une semaine sur un voilier où ils avaient tout connu du soleil et de la tempête.

« J'ai un petit film, cela vous intéresse de le voir ? »

Elle acquiesça. Elle aimait la mer et cet intermède lui éviterait de chercher des sujets de conversation.

Pendant que l'homme allait chercher son matériel, Nicolas s'approcha d'elle :

« Il y a longtemps que vous connaissez Matthieu ?

— Pas du tout. Je l'ai rencontré pour la première fois hier, chez une amie peintre. »

Il sourit, lui tendit la main et l'aida à se lever pour gagner le coin salon, où ne se trouvait qu'un grand lit bas :

« Matthieu a horreur des canapés, dit-il, il trouve qu'un lit est plus convivial. »

Ils s'y installèrent, après avoir entassé des coussins comme autant d'oreillers. Nicolas se redressa sur un coude, lui prit le menton :

« Vous êtes belle. J'ai envie de vous embrasser. Je peux ? »

Lorsqu'il revint, Matthieu les trouva enlacés sur le canapé, bouches mêlées. Elle eut un sursaut pour se redresser, il l'arrêta :

« Ne vous occupez pas de moi, j'installe tout. »

Nicolas s'agenouilla sur le lit, glissa ses mains sous la jupe de la jeune fille et lui enleva sa culotte, qu'il lança au loin. Puis il posa la tête sur son ventre et caressa ses jambes, longuement, de la cheville en haut des cuisses, sans s'aventurer plus loin. Elle avait enfoui ses doigts dans les boucles de l'homme et se laissait faire, gagnée par l'enivrant sentiment d'être célébrée comme une reine, une princesse, une fée. Nicolas avait des mains douces, qui savaient l'effleurer juste où elle aimait, sans jamais insister. Elle se dit qu'elle aimerait bien faire l'amour avec cet homme et s'étonna que cette pensée lui fût si naturelle.

Quand elle ouvrit les yeux, elle vit que Matthieu avait installé le projecteur de telle sorte que les images étaient projetées au plafond. Elle regardait la mer en furie et l'immense coque du bateau qui se battait contre les vagues. Matthieu vint les rejoindre sur le lit. Les deux hommes étaient placés de chaque côté d'elle. Chacun d'eux prit un de ses seins, deux bouches synchrones en agaçaient les pointes, aspirant et suçant au même rythme avec une telle harmonie qu'elle comprit que la visite de Nicolas n'avait rien de fortuit. Ils avaient l'habitude de ce genre de jeu.

Toujours ensemble, ils se tournèrent tête-bêche par rapport à elle. Au plafond, les images de tempête avaient fait place à un éclatant soleil dont il lui semblait presque ressentir la chaleur :

« C'était une journée superbe, commenta Matthieu, j'ai pris un de ces coups de soleil ! Regardez comme la mer est belle, si profonde qu'elle en paraît bleu marine… »

Le voilier filait vite à présent, toutes voiles tendues sur un ciel irréellement azur. Elle sentit deux bouches jumelles envahir son sexe et s'y balader d'un bout à l'autre en se heurtant parfois :

« Ils s'embrassent sur mon sexe, songea-t-elle, et elle fut troublée du baiser que les deux hommes se donnaient ainsi, mêlant leurs langues et leurs lèvres sur ses replis à elle, devenus refuge de leur ambigu désir. L'instant d'après elle n'y pensait plus, un gémissement lui échappa sous les caresses lancinantes, tant il était délicieux et fort de sentir en même temps leurs doigts la pénétrer, d'abord un, puis deux, puis davantage encore. Deux mains se rencontraient au fond de son vagin et faisaient vibrer l'intérieur de son ventre. Elle se raidit, se retint de jouir. Elle avait envie que le jeu dure très longtemps. En allongeant les bras, tétanisée, elle trouva sous ses doigts leurs sexes durs qu'elle saisit dans ses mains et serra et pressa de toute la force qu'ils lui donnaient. Au plafond, le génois en gros plan gonflait sous le vent qui forcissait. Il y eut un sursaut de caméra en même temps que son sursaut à elle, aux limites extrêmes de la jouissance. Un autre plan fit apparaître l'image du skipper agrippant sa barre avec la même énergie qu'elle-même serrait les deux sexes raides agités de pulsations annonciatrices. Les deux hommes creusaient son corps, elle sentait son plaisir monter au bout de leur langue comme sur la crête d'une vague, leur plaisir à eux arriver au galop entre ses mains. La tempête avait redoublé de vigueur, ils accélérèrent leurs mouvements, haletant comme les marins qui, à l'écran, affalaient la voile en urgence... Il y eut à la même seconde le bruit fantastique de la toile mouillée claquant sous la bourrasque et leurs cris à tous trois, un flot d'écume sur le pont du bateau et sur ses poignets, les rigoles du sperme jaillissant des deux hommes. Puis, venu de si loin, de si profond qu'il n'en finissait plus de s'étaler sur sa peau, doux et sucré, son jaillissement à elle, son tremblement, puis le silence.

CE SERAIT COMME UN JEU

Réponses mécaniques et pharmacologiques aux dysfonctionnements érectiles, présentées par le Dr Saül Savour, médecin sexologue.

Lia n'aimait pas trop les sexologues. Elle les considérait comme une race de thérapeutes qui ne s'intéressent qu'à l'organique, prescrivent des médicaments ou une grotesque gymnastique sexuelle pour stimuler les organes déficients et ne s'adressent pas à l'âme. Elle, conseillère conjugale, cherchait à raccommoder les brisures du quotidien qui peu à peu laminent le désir. Elle avait le sentiment d'exercer à un niveau plus élevé. Dominique, son amie infirmière, voulait néanmoins assister à la conférence du Dr Savour :

« Il a l'air plutôt mignon sur le programme, dit-elle en riant ! Tant qu'à soigner sa libido, autant consulter un beau gosse. »

Lia l'avait attendue dans le hall du palais des Congrès, déambulant entre les stands des laboratoires qui proposaient des molécules ou des extraits végétaux censés stimuler les virilités défaillantes, des prothèses ou des machines à muscler les périnées ramollis, tandis que des associations d'aide aux affligés de l'érection proposaient le plus sérieusement du monde « un soutien ferme à chaque membre ». C'était le premier congrès mondial consacré aux troubles de l'érection, et déjà un grand succès.

« Décidément, se dit Lia, la France vieillit. »

Dans sa clientèle, de plus en plus d'épouses délaissées vers la quarantaine venaient se plaindre non plus de l'infidélité de leurs maris, mais de leur désir tiède et sans imagination. Lorsque les deux conjoints consultaient, les hommes exigeaient qu'on raffermît leur virilité défaillante, les femmes, persuadées de n'être plus aimées ou mal aimées, se répandaient en griefs parfois ressassés depuis des années.

Une voix chaude dominant le brouhaha de la foule lui fit lever les yeux. Sur le grand écran transmettant les débats, le Dr Savour expliquait comment, pris d'un zèle excessif, il avait testé simultanément plusieurs méthodes : « J'avais fixé une électrode de cet appareil à la base de ma verge et une autre près du périnée pour vérifier quelles étaient les vibrations les plus efficaces, tout en buvant un cocktail à base de vitamines, ginseng et kola et en visionnant une cassette des plus suggestives. Naturellement, j'ai obtenu une très belle érection, mais je suis incapable de vous dire ce qui l'a réellement provoquée... d'autant plus que je n'ai généralement pas de problème d'érection ! Par contre, j'ai connu une défaillance le lendemain, et j'ai passé une heure à me demander si je serais désormais capable de bander sans tout un attirail ! »

Évidemment, l'assistance croula sous les rires, ce qui permit au conférencier de conclure sous les applaudissements : « Mon exemple vise simplement à dissuader les hommes de demander à leur médecin des médicaments ou tout autre stimulant dont ils n'ont pas vraiment besoin, au risque, ensuite, de n'arriver à rien sans leurs béquilles chimiques. C'est comme les tranquillisants : un tas de dépressifs guéris continuent à en prendre "au cas où…" »

Lia apprécia le sens de l'humour du médecin et le léger accent ni anglais, ni américain, qui embellissait ses phrases. Elle consulta le programme : il était australien.

Dominique la rejoignit bientôt, les yeux brillants d'excitation : « Tu as manqué, je t'assure. Non seulement c'était intéressant, mais en plus, ce toubib est d'un drôle… et agréable à regarder, ce qui ne gâte rien.

— J'ai vu », dit Lia.

Elle se retourna pour prendre une coupe de champagne sur un plateau, se trouva nez à nez avec le Dr Savour.

« Nous parlions de vous, docteur. Mon amie dit que votre conférence était parfaite.

— Vous n'êtes pas venue ?

— Non. j'ai été refroidie par son intitulé très… technique. Je suis conseillère conjugale. J'ai du mal à envisager les rapports entre hommes et femmes sous un angle aussi mécaniste que vous. Le désir, le plaisir, ça ne se résume pas à une érection réussie, et en traiter les troubles doit être plus complexe que de changer un embrayage pour un garagiste. »

Le Dr Savour la regarda avec attention. Ils discutèrent quelques minutes, puis il lui tendit sa carte :

« Tenez, elle peut vous servir... si vos patients ont besoin d'un garagiste du sexe ! »

Elle le regarda s'éloigner.

Lia appela le médecin deux jours plus tard pour lui envoyer un patient :

« Cet homme n'a aucune envie de parler, il veut qu'on le soigne. Je suppose que vous ferez cela mieux que moi.

— J'essaierai, rit-il, mais il voudrait mieux que vous me parliez un peu de lui. Voulez-vous passer à mon cabinet ? »

Il lui offrit à boire, ils parlèrent longtemps, elle assise dans le fauteuil du consultant, lui arpentant le bureau de long en large. Il s'arrêta soudain derrière elle, se pencha et l'embrassa dans le cou, effleura ses seins d'une main rapide. Elle se leva, glaciale :

« Vous êtes bien pressé.

— Pourquoi, puisque vous me plaisez ?

— Ça ne suffit pas.

— Vous avez raison. Je ne vous plais pas ?

— Ce n'est pas cela. Mais vous allez trop vite.

— Trop vite, ça veut dire quoi ? Si de toute façon nous devons faire l'amour ensemble, pourquoi attendre ? Pourquoi faire comme si on n'en avait pas envie, ou comme s'il fallait tout un cérémonial ? »

Il n'avait pas vraiment tort. Elle en détesta d'autant plus son assurance et sa désinvolture. Il la dévisagea avec un sourire narquois :

« Vous êtes comme toutes les femmes, vous voulez vous faire désirer. »

Elle se leva brusquement, marcha droit sur lui, plaqua la main entre ses jambes :

« Pas du tout ! Je sais déjà que tu me désires. Regarde comme tu bandes fort ! »

Elle eut le temps de palper la verge à travers le tissu, d'en apprécier le volume et d'en être troublée.

Il fut sidéré, amusé, séduit :

« Ça alors ! Tu me reproches d'aller trop vite et tu poses directement la main sur mon sexe !

— Tu m'as embrassée dans le cou sans permission, on est quittes. »

Il n'insista pas, elle non plus. Ils recommencèrent à discuter du patient de Lia. Ce dernier se montra très satisfait de l'intervention du médecin et le dit à Lia quelques jours plus tard. Elle lui envoya d'autres patients. Le Dr Savour lui demanda conseil pour une jeune fille frigide. Ils se croisèrent dans des réunions professionnelles. Elle rédigea avec son aide un fascicule d'éducation sexuelle à l'intention d'une association familiale. Bref, ils parlaient sans cesse de sexe, mais n'esquissaient plus le moindre geste l'un vers l'autre. Lia n'était pas pressée. Elle avait une infinie patience pour laisser mûrir son désir. Comme les jeunes gens d'autrefois rêvaient d'être initiés par une professionnelle, ou à tout le moins par la meilleure amie de leur mère, une femme d'expérience et sans tabous, Lia voulait savoir comment baise un sexologue.

« Si ça se trouve, très mal, répliqua Dominique. On dit que les cordonniers sont les plus mal chaussés. À force d'entendre les plaintes d'hommes et de femmes frustrés et d'écouter les fantasmes de pervers polymorphes, il est peut-être totalement dégoûté de l'amour. J'ai un cousin, chef dans un restaurant trois-étoiles. Eh bien, chez lui, il déteste faire la cuisine. »

Lia le savait, et c'est bien pourquoi elle ne voulait pas d'aventure avec le sexologue, rien qui ressemblât à une histoire, même de cul. Rien qui rentre dans la vraie vie. Elle voulait du sexe à l'état brut, professionnel. Dans son cabinet.

« Un jour, se dit-elle, j'irai le voir pour une soi-disant patiente frigide. On parlera, je le regarderai, et il lira le désir dans mes yeux. Il s'approchera de moi, je me lèverai, et on s'embrassera tout de suite. Il embrassera bien, il saura exactement comment mordre juste un peu mes lèvres, et comment j'aime perdre souffle dans la bouche d'un homme. Puis je déboutonnerai sa chemise, je caresserai sa peau, et si elle me plaît, je passerai les mains dans son dos, je soulèverai le pan de la chemise, j'écarterai la ceinture et je descendrai mes doigts entre ses fesses. Ce sera tout chaud, surtout lorsque j'atteindrai ses poils et que je glisserai la main entre ses jambes. À ce moment-là, bien sûr, il bandera. Je m'en assurerai en le branlant à travers le tissu. J'adorerai cela, sentir sa bite grossir et durcir sous mes caresses. Puis le téléphone sonnera. Il s'écartera, tout débraillé, et ira répondre : "Dr Savour, j'écoute ?" Pendant qu'il notera un rendez-vous, je continuerai à le caresser. Pas trop fort, juste pour maintenir la pression. Il raccrochera, appuiera sur quelques touches et dira : "J'ai mis le répondeur, nous serons plus tranquilles." Il regardera sa montre : "J'ai un patient dans un quart d'heure." Je lui dirai que c'est suffisant lorsqu'on a affaire à un professionnel suffisamment pourvu. Et pourvu, il le sera. Je serai surprise par l'ampleur de sa queue. Et tiens oui, je dirai sa queue, un mot que je déteste d'habitude mais que les professionnels utilisent volontiers dans les livres pornographiques ou dans les films X. Donc, je lui dirai qu'il a une belle queue, je m'agenouillerai sur sa moquette et je la prendrai dans ma bouche. Ce sera comme un jeu où on a le droit de faire tout ce qu'on veut pendant un quart d'heure. Notamment baiser dans un cabinet médical avec un professionnel du sexe. Excitant comme l'idée de jouer au foot avec Zidane ou de piloter un bolide aux côtés d'Alain Prost. L'impression de passer une vitesse supérieure et d'apprendre, surtout, d'apprendre. Découvrir ce que je suis capable de faire dans de telles circonstances… »

À ce moment de sa rêverie, Lia mouillait généralement si fort qu'il lui suffisait d'insérer un doigt dans son slip et de le laisser glisser tout doucement le long de sa fente pour jouir en quelques secondes. Elle était capable de le faire n'importe où : au bureau, dans sa voiture, dans un ascenseur, seule ou au milieu d'inconnus. Déjà ce jeu l'amusait. Elle le poursuivait le soir, avec des variantes plus intimes :

« Comment me prendra-t-il, comment s'y prendra-t-il pour me procurer cet orgasme que cherchent désespérément ses patientes ? J'imagine qu'il retroussera ma jupe. Penser à en mettre une qui ne retombe pas, choisir une coupe moulante qui se roule facilement à la taille, éviter le collant. Talons ou non ? Non. Plutôt chaussures qu'on peut envoyer valdinguer d'un simple mouvement du pied, genre "Je n'en peux plus, prends-moi tout de suite". Les pieds nus, c'est plus pratique pour ne pas perdre l'équilibre. Parce que forcément, ça se passera debout.

« Il me dira : "Tourne-toi, je vais te prendre par-derrière." Je m'appuierai sur la table d'examen pour ne pas perdre l'équilibre. C'est à ce moment-là qu'il mettra un préservatif. Avantage évident du professionnel : il le mettra sans que j'aie à lui demander. Ou alors, plus mondain, il murmurera après avoir titillé mes seins et sucé les mamelons jusqu'à ce qu'ils deviennent bien durs, presque douloureux comme ça me plaît : "Il vaudrait mieux que j'aille chercher un préservatif." Et moi, fouillant dans mon sac : "Ne te donne pas cette peine, j'en ai toujours avec moi." J'en sortirai même deux, je lui dirai "Ordinaire ou King Size ? Je crois que pour toi, il faut la King Size". C'est le genre de compliment qui fait prendre un centimètre de plus à un homme. À sa queue. Il mettra la capote en quelques secondes, puis il me basculera en avant, la tête sur la table d'auscultation. On entendra la sonnette de la porte d'entrée. je me redresserai, inquiète, mais il me fera basculer à nouveau tout en appuyant sur l'interphone tout proche. Il murmurera à mon oreille : "On a le temps, c'est lui qui est en avance." À deux pas de nous, dans la salle d'attente, un homme en proie à des troubles érectiles feuillettera des revues périmées tandis que je baiserai avec son médecin. Le Dr Savour me saisira alors par les hanches et me pénétrera d'un seul coup jusqu'au fond. Il ira très loin en moi, jusqu'à ce seuil subtil entre plaisir et douleur qui me fait mordre les lèvres pour ne pas crier. Je les mordrai d'autant plus fort que je craindrai que le patient entende, quoique... j'aimerais assez qu'il entende, qu'il perçoive des bruits étouffés, des souffles haletants et des gémissements qui lui feraient lever la tête, troublé, et se demander s'il a bien entendu ou si son imagination lui joue des tours depuis le temps qu'il rêve d'entendre gémir sous lui une femme désirante. Savour me baisera en ponctuant chaque coup de boutoir d'une claque sur les fesses, comme une fessée, et je sentirai sa queue cogner au rythme des battements de mon cœur, vite et fort. Avant qu'il ne soit trop tard, je me redresserai et lui chuchoterai : "Fais-moi jouir avec ta langue sur la table, là." Il comprendra tout de suite, c'est un fantasme classique de femme : être allongée comme pour un examen gynécologique, cuisses écartées, ventre offert, et transformer cet auscultation fastidieuse en instant de luxure, sentir sur les lèvres brûlantes du sexe la fraîcheur de la langue qui effleure d'autant plus délicatement chaque repli que la position est alors idéale, l'abandon quasi total. Puis il me dira qu'il veut à nouveau me baiser et me demandera de lui malaxer les boules en même temps, ou de lui pincer les mamelons, ou de lui mettre un doigt... Savoir ce que préfère un sexologue n'est pas chose aisée, il sait que la même caresse peut être tour à tour exquise ou répugnante selon la personne ou le jour, il se demande lui-même s'il est à la hauteur. Donc, le lui dire : "J'aime ta queue, tu me baises tellement bien, oui, continue, frappe encore plus fort, j'aime ce que tu me fais." Je pourrais même lui dire des mots plus crus, plus triviaux. Il n'en reviendra pas que la calme conseillère conjugale qui lui parlait de l'âme et rejetait la technique se transforme ainsi en furie. Forcément, il a l'habitude de voir des femmes pour qui "ça" ne marche pas, alors rencontrer une femme gourmande, simplement gourmande, il imaginait à peine que ça existe. C'est ce qu'il me disait l'autre jour : "Les femmes veulent mettre de l'amour, du pouvoir ou de l'argent dans le sexe, si bien qu'elles oublient d'y mettre du plaisir." Il accélérera son rythme comme un forcené en psalmodiant douce-ment (à cause du patient dans la salle d'attente) : "Tiens prends, prends encore, tu aimes ma bite, hein, cochonne, tu aimes te faire mettre." Et moi, j'ac-quiescerai de la tête, mon ventre tremblera, sous mon dos la table vibrera, je sentirai que ça vient, ça vient… et au moment de l'orgasme – réussi, l'orgasme, nous aurons tout fait pour ça – il aura le réflexe de mettre la main sur ma bouche pour m'empêcher de crier, tan-dis que je mettrai ma main sur la sienne pour étouffer son râle. Ce geste parfaitement synchrone sera le plus beau moment du jeu. Tout de suite après, il regardera sa montre : "Douze minutes, nous sommes dans les temps." Je rajusterai ma jupe, me recoifferai : *"Fast fucking, but not so bad…"* Dans nos yeux de galopins pétilleront des étincelles de malice…

« Il me raccompagnera à la porte. Le patient lèvera les yeux en entendant des pas, et je constaterai que ses joues sont très rouges et son souffle un peu court. Le Dr Savour me serrera la main, très professionnel :

« "Au revoir madame, appelez mon secrétariat pour votre prochain rendez-vous." »

Ainsi rêvait Lia. Et un jour, elle le fit.

PASSAGE DU DÉSIR

Le jour de notre rencontre, il pleuvait. Difficile de retrouver une date précise avec un indice aussi fréquent sous nos latitudes. Il pleuvait, c'était en hiver, et la nuit était tombée depuis longtemps lorsque je suis sortie du studio-photo où j'étais venue déposer des bobines. Sous la porte cochère, je cherchais à tâtons la minuterie et le bouton d'ouverture de la porte. Une main m'a devancée :

« Permettez… »

La porte s'est ouverte, l'homme l'a retenue et s'est effacé pour me laisser passer. En passant devant lui, j'ai murmuré un vague remerciement. Dehors, de lourdes gouttes bien froides et mouillées se brisaient sur le macadam, et j'avais deux cents mètres à parcourir jusqu'au métro. L'homme a ouvert un parapluie, m'a proposé de m'abriter au moins jusqu'au bout de la rue. J'ai accepté. Sous l'ombrelle géante noire, un de ces parapluies sans âge dont les baleines sont tordues à force d'avoir affronté les intempéries, je marchais en regardant le bout de mes semelles, tête baissée, muette. C'est à peine si j'avais jeté un coup d'œil à mon porteur de parapluie, un homme grand, brun, les cheveux coupés très court comme ils aiment le faire aujourd'hui lorsqu'ils n'osent pas encore le crâne rasé. Banal. Son manteau sentait la laine humide et j'espérais ne dégager aucune odeur de ce genre.

Au bout de la rue, il s'est arrêté. Nous nous sommes trouvés face à face quelques secondes durant lesquelles j'ai eu la confirmation qu'il n'avait rien pour me plaire, excepté un regard bleu très brillant, comme émaillé, qui animait son visage : traits réguliers, menton épais, allure massive de cadre ou de courtier en assurances bien nourri, il n'avait rien de laid, rien d'attirant non plus. Rien pour faire rêver en somme, et c'est sans doute ce qui a tout déclenché. Sans aucune arrière-pensée, je me suis hissée sur la pointe des pieds pour l'embrasser sur la joue, en bonne copine qui remercie du service rendu. La semelle de mes bottillons a dérapé. J'ai trébuché, me suis rattrapée in extremis à son bras, et mes lèvres ont atterri sur les siennes. J'allais m'excuser, quand j'ai senti ses bras se refermer sur moi, sa bouche s'entrouvrir. Nous n'avons pas échangé le baiser du siècle, non, simplement un baiser exquis comme un cadeau inattendu, quelques secondes irréelles suspendues dans l'air. J'ai vite retrouvé mon souffle et mon équilibre pour lui dire « au revoir » et poursuivre mon chemin.

« Attendez ! a-t-il crié. »

J'ai stoppé. Il a glissé sa carte dans la poche de mon manteau. Cette fois-ci, nous nous sommes vraiment séparés. C'est alors qu'en levant les yeux, j'ai vu la plaque de la rue : *Passage du désir*. On ne résiste pas à un tel hasard.

Ma langue a caressé mes lèvres, sans retrouver trace de l'inconnu. Allons, cet homme ne laisserait pas sur moi d'empreinte indélébile. Il serait comme une page blanche avec tous les possibles que cette virginité suppose. Avec les autres, j'ai un peu tout mélangé, parlé d'amour ou de tendresse, de passion et de jeu. J'ai parlé de moi et ils m'ont parlé d'eux, nous avons cru être intimes, mais la nuit venue, aucun n'a été capable de m'accompagner jusqu'au bout du bout de moi, jusqu'à l'abandon impudique et total que je pressens possible et chercherai toujours. Ils ont ouvert une petite porte, puis une autre, puis une autre. Certains ont eu plus de talent que d'autres pour faire éclore mes gémissements et trembler mes jambes. Quelques-uns même ont dû croire qu'ils avaient percé le secret de ma jouissance mais je sais, moi, qu'ils se sont arrêtés en chemin. Je connais trop cette seconde où l'abandon se crispe soudain, où le cerveau anesthésié se remet à fonctionner. Alors la vague qui menaçait de me submerger reflue, tandis que le corps, sur sa lancée, continue d'exprimer son plaisir. Mes muscles se tétanisent, je tremble et crie comme une femme qui jouit et je me regarde crier, étonnée de cette violence, mais je sais bien que si je me regarde crier, c'est que je suis ailleurs… Le corps d'un côté, le cerveau de l'autre. J'en ai assez de ce duel éternel, et pour gommer toute interférence, je veux que la rencontre avec cet homme soit épurée des oripeaux habituels de l'amour. Rien que la sensation pure.

Il faudra que nous restions des inconnus l'un pour l'autre jusqu'à ce que nous nous retrouvions tous deux nus dans un lit. Il faudra une pièce nue aussi, avec un lit drapé de blanc, un décor plus que sobre, aucun objet que je puisse contempler ensuite, avec au cœur la nostalgie des instants passés. J'essaierai d'en savoir le moins possible sur cet homme. Rien qui risquerait de fausser l'émotion. Alors, peut-être oserai-je.

Je lui ai fixé rendez-vous par un message sibyllin sur son portable. « Plan de Paris, 6 N 16. Sans frontières. 13 heures. »

Je n'ai pas laissé mon nom, ni mon numéro. Le jour dit, je me suis retrouvée seule à une table du restaurant, lisant dix fois de suite le menu pour passer le temps. Une ombre s'est posée sur la nappe. J'ai levé les yeux. Il était là, souriant, et j'ai vu que son sourire était lumineux.

« Je suis un peu en retard, j'ai eu du mal à me garer. Je vous prie de m'en excuser. »

Il s'est assis. Nous avons commandé sensiblement le même menu et commenté l'actualité du jour et les derniers films sortis. C'était bien. Bien aussi son regard qui me détaillait avec la même acuité que celle que je montrais en l'observant. Il avait des mains élégantes, étonnamment soignées pour un homme. J'ai imaginé ses doigts fins ouvrant les lèvres de mon sexe, la façon dont il pénétrerait doucement le passage humide avec un doigt, puis deux, puis trois… C'était si fort que je m'en suis mordu les lèvres et j'ai fermé les yeux juste une seconde pendant laquelle l'envie de cet homme qui ne me plaisait pas a empli mon ventre. C'est alors que sa main a effleuré la mienne, l'espace d'une caresse sur la paume et autour du poignet, d'un frisson dans mon dos.

À la fin du déjeuner, alors qu'il tapait sur la machine le code de sa carte, l'homme a jeté un coup d'œil à la note du restaurant :

« Rue du Regard, a-t-il souri, l'adresse était bien choisie. »

Au second rendez-vous, il est arrivé avant moi. Je suis entrée dans la salle à manger, la serveuse m'a indiqué la table et l'homme s'est levé en m'apercevant. J'étais heureuse de le voir. Nous avons commandé une bouteille de vin, du saint-joseph je crois, et un plat mosaïque composé de légumes et de viandes de toutes sortes. Au dessert, le maître d'hôtel s'est approché :

« Qu'est-ce qui vous ferait plaisir ? »

Je me suis entendue répondre :

« Une chambre. »

L'homme m'a regardée, ses yeux émaillés avaient un éclat d'acier quand il a répondu :

« Bonne idée. Pour moi aussi, une chambre. Ou plutôt une pour deux. Avec deux cuillères. »

Sur la page blanche de notre histoire, cette réplique restera. Je me souviendrai que cet homme avait de l'humour et j'espère n'en avoir aucune nostalgie. Tandis que nous montions à l'étage, il a eu le bon goût de ne faire aucune remarque sur « le meilleur moment de l'amour, qui est dans l'escalier » ou autre fadaise du même genre. Je sentais son regard glisser sur mes jambes et remonter entre les cuisses. Mon sexe s'est embrasé en un point bien précis, brûlant comme le bout incandescent d'une cigarette. J'ai fait durer le plaisir en montant très lentement. La chambre était une grande pièce presque japonisante aux murs blancs, aux meubles noirs, crème et acier. Un parfum léger de chèvrefeuille embaumait l'air… Dans trois minutes, cet homme que je connais à peine sera nu contre moi et moi nue contre lui. J'ouvre un bouton, ma jupe tombe à mes pieds. Enlever le collant d'un geste naturel, puis le slip. Ça y est, il voit mes poils. Je croise les bras, passe le pull par-dessus la tête et dans le court instant où mes yeux sont cachés, l'homme achève d'enlever ses vêtements. Le voici debout face à moi. Grand. Sa verge se balance lentement, prend son essor sans se presser. Je ne la quitte pas des yeux pendant son érection, caresse visuelle, ardente, qui émeut l'animal et le fait grossir. Nous n'esquissons aucun geste, l'intensité des regards qui se détaillent est autrement excitante, presque intimidante. Affrontement silencieux de la bête et du torero, mais qui sera la bête ? Bite en avant, l'homme s'avance vers moi. Je recule et tombe sur le lit. Il m'y rejoint, s'agenouille entre mes cuisses ouvertes. Je ferme les yeux, attend qu'il me touche. Mes seins, mon cou, mon ventre, mes paupières, mon vagin, mes cheveux… tout mon corps est devenu zone érogène. L'homme glisse un doigt dans ma fente, en explore l'onctuosité tiède depuis le clitoris jusqu'à l'entrée du vagin, puis retour par le même chemin de plus en plus humide.

J'entrouvre les paupières, à peine, aperçois son torse large au-dessus de moi. Sa poitrine se soulève et s'abaisse, sa bouche est ouverte comme s'il cherchait de l'air, ses lèvres silencieuses et mobiles semblent murmurer une incantation. On le croirait en prière ou en méditation, cet homme fait l'amour comme un rite sacré dont je serais l'icône, la déesse. laissons-le faire. En moi, ses doigts s'aventurent, il en a mis quatre qui s'écartent peu à peu et m'élargissent. Il prend tout son temps pour explorer mes parois qui se contractent et se relâchent, haletantes. Il en évalue les sillons, les creux, les aspérités... Mon vagin n'est plus un simple passage, il devient un monde souterrain qui livre peu à peu ses secrets. Voici que le pouce pénètre à son tour et je sens la main de l'homme tournoyer, l'une de ses phalanges heurte un point inédit qui me foudroie de plaisir. Je pousse un cri, étouffé gentiment de son autre main posée sur mes lèvres. Il semble maître de lui et maître de moi. Sa main touche le fond de mon ventre, qui s'arc-boute et pousse avec une force qui m'étonne, comme si je voulais qu'il me transperce encore plus loin, encore plus fort. Mon cœur se précipite et la tête me tourne...

C'est à ce moment-là qu'elle a lâché prise. Elle ne vous racontera pas comment elle s'est empalée profondément sur la main de l'homme qui lui disait « Oui, viens, laisse-toi aller », comment, à travers le brouillard qui enveloppait ses oreilles, elle a entendu son sexe clapoter comme si le plaisir se déversait en lac si liquide, si salé qu'elle a cru une seconde que l'homme l'avait blessée et qu'elle se vidait de son sang. Mais elle coulait de plaisir et aimait ça à la folie. Elle ne vous dira pas le moment où lui aussi s'est emballé, a fait aller et venir sa main dans un va-et-vient sauvage, puis s'est agrippé à son vagin comme aux pentes ruisselantes d'une caverne, spéléologue de l'amour qui ne voulait plus sortir d'elle mais aller jusqu'au fond de son corps, lui saisir le cœur et sortir par sa bouche. Sa bouche, justement, qui tout à coup lui échappait et disait à l'homme des mots d'amour « Mon chéri, je t'aime, prends-moi mon amour, je suis à toi, défonce-moi, ouvre-moi, je t'aime... » toutes ces phrases réfrénées d'ordinaire et qu'elle osait dire à cet homme parce qu'elle ne le reverrait pas et qu'ainsi il ne la décevrait jamais, tous ces mots d'amour dont elle rêvait parce que eux seuls lui permettaient de se donner sans réserves, eux seuls faisaient l'unité entre son désir et sa tendresse. Elle ne vous dira pas, parce qu'elle l'a à peine entendu, comment l'homme à son tour lui murmurait des mots tendres et crus à l'oreille tout en enfonçant un doigt dans son cul, comment il l'a saisie par les hanches, l'a soulevée comme une plume, plaquée au mur et baisée bien profond en écoutant ses sanglots de plaisir qui le sacraient roi du monde et de l'amour.

Elle ne le dira pas, parce que au moment où elle a cru exploser, elle est revenue à elle. Les murs de la chambre sont redevenus réels, la vague qui montait au-dessus de sa tête ne l'a pas submergée. Elle s'est retrouvée dans un lit froissé avec un homme bien carré dont elle a regardé s'enfoncer la bite en elle, belle tige rose et beige comme elle en avait déjà vu beaucoup, en les trouvant toujours aussi belles. Elle a crispé sur lui son vagin pour qu'il soit bien serré dedans et l'homme a gémi de plaisir. Lorsqu'elle l'a senti près de jouir, elle l'a repoussé en arrière, et l'a regardé jaillir. Puis elle a pris dans sa bouche une gorgée de lui. Sur son ventre, elle a étalé le sperme et a léché ses doigts. L'homme l'a enveloppée de ses bras avec douceur, avec tendresse. Il a caressé ses cheveux, rêveur. Quelques mots d'amour restaient suspendus à ses lèvres, qu'elle n'a pas osé lui dire. Toujours cette vieille peur… Elle a senti qu'il avait ouvert une porte de son plaisir, puis une autre, puis une autre… peut-être davantage que ses prédécesseurs, mais qu'il n'était pas allé au bout du chemin.

« Allons, se dit-elle, ce sera peut-être le prochain. »

NUIT-TENDRESSE

L'homme leva son verre avec un petit sourire :

« Je me sens un peu zombie ce soir. »

La fatigue ombrait son regard. Tous deux étaient fatigués, ils se couchèrent plus tôt que d'ordinaire. Elle se lova contre lui, la main contre son sexe endormi. Il glissa sa cuisse entre ses jambes à elle et murmura d'une voix ensommeillée :

« J'aime ce contact sensuel. »

Elle nicha son visage contre son aisselle dont elle respira les effluves très doux. Elle aimait son odeur. Son odeur l'émouvait.

Ensemble, ils traversèrent la nuit. Une ou deux fois il se retourna, changea de position, mais toujours leurs deux corps réharmonisaient leurs courbes. Elle avait le sommeil léger, chaque mouvement de l'homme la réveillait et elle le regardait alors tâtonner les yeux fermés à la recherche de sa peau. Elle l'écoutait respirer et s'étonnait que le souffle de cet homme lui procurât une telle plénitude. Il dormait sur le côté droit, la main à plat entre sa tête et l'oreiller, paisible. Elle se sentait légère près de lui, les meubles de la chambre eux-mêmes prenaient dans la pénombre une immatérialité de nuages. Du bout de l'index, elle suivait doucement la ligne du corps de son amant en prenant garde de ne pas le réveiller. Ce toucher si ténu lui donnait envie de se fondre en lui. Alors, avec d'infinies précautions, elle se rapprochait de son dos jusqu'à ce que leurs peaux fussent totalement en contact et là, elle fermait les yeux pour mieux écouter le dialogue muet de leurs cellules. C'était un instant de bonheur inouï, une quintessence de sensualité qui reléguait très loin les acrobaties érotiques.

Au réveil il sourit :

« C'est une nuit-tendresse. »

Il n'avait jamais prononcé ce mot devant elle jusqu'à présent, et elle en fut plus émue que par une déclaration. Il restait immobile, les yeux fermés. Lentement, elle laissa aller ses doigts partout sur son corps, sauf sur le sexe. Elle voulait rendre hommage à ces petits morceaux de lui qu'elle observait dans la journée tandis qu'il s'activait. Elle caressa sa nuque, ses épaules et ses bras, dessina le contour de ses paumes et chacun de ses doigts, sans se presser.

Elle caressa son dos et ses fesses, parcourut ses cuisses jusqu'aux chevilles. Il se retourna, voluptueux, et la laissa emmêler ses doigts dans les boucles de son torse, sentir son cœur battre. Elle aimait qu'il ne cherchât pas à lui rendre ses caresses, qu'il s'abandonnât à son tour et ne trahît son trouble que par un souffle plus rapide.

Elle posa son visage sur le ventre de l'amant et le respira. Peu à peu ses cheveux, ses mains et ses lèvres se rapprochèrent du sexe de l'homme. Avec son index, elle frôla très doucement l'intérieur de ses cuisses et regarda la verge frémir et s'éveiller, rouler sur le côté et grandir. Elle ne s'en lassait pas, pas plus que d'un lever de soleil sur le désert ou d'un crépuscule sur la mer.

RUPTURE

Dans moins de six heures, nous allons nous quitter. Tu m'as donné rendez-vous ce soir dans un café bruyant, au milieu de touristes américaines jacassant leurs vacances. Tu m'as dit qu'il fallait en finir, mais nous ne savons ni pourquoi ni pour quoi. Je m'habille devant la glace et me souviens de tes mains qui savaient si bien me dessiner. Les miennes suivent tes traces, mais je ne sens plus rien. Je suis devenue insensible, glacée. Un sanglot m'échappe à l'idée que je ne ressentirai plus cette morsure au creux du ventre dès que tu me touchais. Tu as emporté mon désir avec toi, voleur d'extase, pour que jamais je ne puisse t'oublier.

Seule au milieu de la chambre, je caresse mon sexe, j'essaie de l'émouvoir, en vain. Il reste sec, indifférent, fermé. Ce n'est pas à notre amour que tu mets fin, c'est à moi, assassin ! La rage me fait mordre mes lèvres si fort que j'ai bientôt un goût de sang dans la bouche, mêlé à l'amertume de mes larmes. « Réagis, réagis ! » Une voix stridente cogne dans ma tête, martèle mon crâne. C'est elle qui me pousse dans le corridor, vers le téléphone… Je saisis le combiné, cherche le numéro de ce professeur de psycho-socio-philo qui hier a soûlé ma mélancolie naissante – tu venais de me fixer ce fameux rendez-vous – en me parlant de Nieztsche et de Sartre pour justifier sa morale de bazar qu'on aurait pu résumer en « Baisons ma chère, la vie est courte ». Je l'ai haï de faire appel à de telles références pour excuser son intempestive érection, l'ai abandonné presque en courant. Il m'a poursuivi, tendu sa carte, que j'ai empochée machinalement.

Mes doigts forment le numéro du prof, il décroche presque tout de suite : « Je suis à mon bureau. » Il rédige une thèse, une de plus. Je prétexte un livre dont il m'a parlé la veille : « Pourriez-vous me le prê-ter ? » Il n'en revient pas de sa bonne fortune : « Mais passez donc tout de suite… non, non, cela ne me dérange pas du tout. »

Je raccroche, reviens dans la chambre, m'habille bas résille et jupe étroite, maquillage un peu appuyé, pas trop : séduire l'homme sans l'effaroucher. Je soliloque, j'argumente, m'étourdis pour ne pas trop réfléchir. Réagir, réagir… La petite voix s'est calmée dans ma tête. À la place, un grand calme glacé a tout envahi. Je crains que le prof ait bien du mal à réchauffer cette banquise.

Il habite un vieil immeuble, au second étage. Je sonne, il me guettait, il ouvre très vite, me tire par la main et referme aussitôt à double tour, comme s'il avait peur que je me sauve. Son studio de célibataire est encombré de livres, mais plutôt propre. Pour lire, il porte de fines lunettes métalliques, qui lui donnent un air intellectuel. Hier, il ne les avait pas. Elles lui vont bien, je veux qu'il les garde pour me faire l'amour. Assis tous deux sur le canapé, nous feignons de consulter le fameux livre. Il m'en indique les chapitres les plus intéressants, me propose d'autres ouvrages pour approfondir le sujet. Il n'a plus du tout l'empressement d'hier, j'ai dû le refroidir avec mon allure d'iceberg nostalgique. Je me tourne vers lui, le saisit au collet, écrase mes lèvres sur les siennes. Baiser sans goût. Il ne suffit pas de le vouloir, il faut aussi en avoir envie, et je n'ai pas envie. Le prof le sent. Pas psycho pour rien, il s'écarte de moi, ses fesses mêmes se soulèvent un peu et il met quelques centimètres entre nous, là où nos cuisses se frôlaient. Il met de la distance, mais sa main se pose tout de même sur la mienne. Il continue sa lecture, et au milieu d'une phrase, sans changer de ton, je l'entends murmurer : « Prends ma main, mets-la où tu veux. » Il poursuit sa lecture, comme si de rien n'était. Ai-je entendu ou voulu cette invite ? Fantasme ou réalité ? Peu importe, je guide sa main sur les bas, jusqu'en haut, là où la douceur du Lycra fait place à la tiédeur de la peau. Je pose ma main sur la sienne, accompagne ses attouchements tandis qu'il continue sa lecture d'une voix unie.

Est-ce mon index ou le sien qui soulève l'élastique de la culotte et pénètre plus avant ? Nos doigts s'emmêlent dans ma toison, les siens s'enhardissent et ouvrent les lèvres de mon sexe. Je retiens mon souffle, j'ai peur, va-t-il trouver là la mort ou la vie ? Il pianote, sans se presser, plus absorbé semble-t-il par sa lecture que par ce que je lui offre. Je vérifie : il ne bande pas. La rupture ne tue pas que mon désir, elle annihile aussi celui des autres. J'en veux à cette rupture d'Attila qui ne laisse repousser sur son passage que l'empreinte indélébile de mon amour enfui. Le professeur ne lit plus, mais il parle encore. Il me dit : « Tu n'as pas envie, ne te force pas. Laisse-toi aller. Ferme les yeux. Détends-toi. » Sa voix est douce, hypnotisante. Il doit donner des cours de relaxation ou de sophrologie. Je me concentre sur ses doigts à lui, accompagne mentalement leur promenade, les cercles qu'ils décrivent autour du vagin, leur pénétration progressive. Je suis l'actrice et spectatrice d'un film X pour intellos fatigués. J'imagine la caméra du metteur en scène, les lumières des projecteurs braqués sur mon intimité, les commentaires des cameramen pourtant blasés qui parient sur le temps que mettra la vedette masculine à éjaculer. Une voix ordonne : « Avance un peu les fesses, écarte les jambes. » Le réalisateur se fait plus exigeant. Il ordonne au comédien de se pencher sur l'actrice : « Ouvre-la et suce-la bien, on va faire un gros plan ». Je sens qu'on écarte les lèvres de mon sexe enfin humide. Sa langue est habile, mon corps reconnaît les sensations qui le font défaillir, je m'agrippe au rebord du canapé, une voix m'ordonne de replier les genoux sur ma poitrine. Ces films sont faciles à tourner, finalement, tout le monde fait pareil. Mes paupières serrées fort se relâchent juste un peu, suffisamment pour que filtre un rai de lumière entre les cils. Dans cette ambiance tamisée, j'aperçois en gros plan, comme dans les films, la bite énorme du comédien-prof-psychologue et philosophe, je n'aurais jamais pensé qu'un intellectuel pouvait en avoir une si grosse, plus grosse que celle de mon amour à qui je ne dois surtout pas penser, plus dure aussi, je la sens s'enfoncer et m'écarter largement les parois. C'est bon, j'avais oublié cette sensation de plénitude.

Il va et vient avec un rythme ample, souverain, et la tranquille certitude de ceux qui savent qu'ils assurent. Ma respiration s'accélère, j'aperçois mon ventre qui monte et descend et se gonfle sous les coups de boutoir, je m'entends crier de plaisir, des gouttes de sueur coulent le long de ma colonne vertébrale. L'iceberg fond à toute vitesse, mes reins se cambrent et s'avancent à la rencontre de la bite exquise que ma voix encourage à aller encore plus fort et plus loin au fond de moi. L'iceberg se liquéfie, je ne suis plus qu'une fontaine trempée de plaisir où l'homme clapote tant qu'il glisse parfois hors de moi. Je le saisis, le remets en place, lui dit de continuer, tandis que dans ma tête tourne un refrain triomphal : « Cet homme me fait jouir et je ne l'aime pas, je ne l'aime pas, je ne l'aime pas… » Il accélère sa cadence, touche brutalement le fond de mon ventre… Va, gentil prof, perce-moi jusqu'à la garde, délivre-moi du mal d'aimer. Il s'abat sur moi dans un cri, je sens ses spasmes tandis qu'il jouit, jaillit et perd peu à peu sa superbe. J'ouvre les yeux : il m'a fait l'amour avec ses lunettes.

C'est un homme intelligent. Il ne dit rien, ne commente rien. Il se contente d'allumer une ampoule opaline, se lève et me montre une porte au fond du couloir : « Si tu veux prendre une douche… » La salle de bains lui ressemble, raffinée et discrète, avec une odeur d'eau de Cologne anglaise, des serviettes pastel. Je ne veux pas me laver de lui avant d'aller à ce rendez-vous de rupture. Je m'essuie juste un peu, passe de l'eau sur mon visage, me recoiffe. Il m'offre ensuite une tasse de thé et nous parlons littérature. Je promets de revenir le voir.

Au café, l'autre m'attend depuis dix minutes : j'ai pris du retard. Je l'aperçois derrière la vitre. Mon cœur fait un bond douloureux, mais mon sexe encore chaud me rappelle opportunément qu'il existe d'autres hommes au monde. Il me rend mes clés, dit la phrase habituelle : « J'aimerais que nous restions amis. » Soit, devenons amis et parlons du passé sans regret. Avec une effrayante mémoire du détail nous décortiquons notre histoire, essayant après coup de prouver que sa fin était inscrite, inéluctablement, dans son début. Nous cherchons l'ultime seconde où… le moment précis de… Longtemps, bien longtemps après notre rupture, je relirai ses lettres d'amour si belles. Je les classerai dans leur ordre chronologique pour voir naître entre nous le désir et la passion, puis nos premières griffures, ces discussions interminables qui nous déchiraient et creusaient entre nous le gouffre, mes premières larmes, ses derniers silences…

Des années plus tard, il m'arrivera de relire ces lettres dans n'importe quel ordre, bouleversée par cet amour fou qu'il m'offrait et que je n'ai pas su prendre, et je demanderai pardon à la vie d'avoir été si timorée.

Mais ce soir-là, nous voulons faire au mieux. Nous essayons d'entrer dans ce moule de l'amitié, trop étroit quand on sort d'une passion. Nos mots sont maladroits, les intonations un peu fausses. Le scénario aurait besoin d'une sérieuse réécriture. Mais pendant que nous devisons, je sens couler en moi d'impétueuses rivières. J'ai envie de toi, je n'entends plus tes mots. Je niche ma tête contre ton cou pour sentir l'odeur de ta peau. Mon geste te trouble :

« Merde, me dis-tu, j'ai envie de faire l'amour avec toi. » Et pourquoi merde ? Moi aussi j'en ai envie, et je sors d'autres bras.

J'ai envie de toi avec encore sur ma peau la trace d'une autre bouche et le sel d'une autre transpiration. Une dernière fois tu m'entraînes dans cet appartement que nous ne partagerons jamais. Nous montons les cinq étages en courant, comme s'il y avait urgence. Dans le couloir, tandis que je cherche les clés que tu viens de me rendre, tu retrousses ma jupe et me plaques ta main aux fesses sans attendre. Nous entrons, il n'y a pas de lumière, j'ai déjà fait couper le compteur. À tâtons, nous gagnons le séjour où ne subsiste que le tapis de laine que nous avions acheté ensemble sur un marché turc. Nous nous y jetons d'un seul élan, tu me retires ma culotte et colles ta bouche exactement là où il y a deux heures le petit prof a su faire fondre l'iceberg de mon chagrin. Sous ta langue, mon clitoris est déjà gonflé, forcément, alors tu relèves la tête et murmures : « Mon amour, comme tu es chaude ! » Mon plaisir galope à ta rencontre, mon corps exulte, il n'est pas mort. Fais-moi jouir, mon amour, je suis gourmande et vous voudrais tous en même temps.

TABLE DES MATIÈRES

Cet ouvrage a été imprimé en France par

C P I
Bussière

à Saint-Amand-Montrond (Cher)
en novembre 2009

POCKET - 12, avenue d'Italie - 75627 Paris Cedex 13

— N° d'imp. : 91489. —
Dépôt légal : janvier 2003.
Suite du premier tirage : novembre 2009.